TWEET REBELLE

Du même auteur :

Pli sous plis, en collaboration avec Pierre-André Arcand,
    Le Noroît, 1982.
Physitexte, Centrale textuelle de Saint-Ubalde, 1982.
New York – où le vu se donne au lieu du su, Centrale textuelle
    de Saint-Ubalde, 1983.
G mon soleil sans complexe, Centrale textuelle de Saint-
    Ubalde, 1983.
Territoires nomades, en collaboration avec Richard Martel,
    Nathalie Perreault, Alain-Martin Richard et Jean-Claude
    Saint-Hilaire, Intervention, 1995.

@pierrepaulpleau
(Jean-Yves Fréchette)

Tweet rebelle

twittérature

L'instant même

Maquette de la couverture : Anne-Marie Jacques
Photocomposition : CompoMagny enr.

Distribution pour le Québec : Diffusion Dimedia
539, boulevard Lebeau
Montréal (Québec) H4N 1S2

Distribution pour la France : DNM – Distribution du Nouveau Monde

© Les éditions de L'instant même, 2011

L'instant même
865, avenue Moncton
Québec (Québec) G1S 2Y4
info@instantmeme.com
www.instantmeme.com

Dépôt légal – Bibliothèque et Archives nationales du Québec, 2011

Catalogage avant publication de Bibliothèque et Archives nationales du Québec et Bibliothèque et Archives Canada

Fréchette, Jean-Yves, 1948-

   Tweet rebelle

   « Twittérature ».

   ISBN 978-2-89502-316-6

   I. Titre.

PS8561.R372T93 2011   C848'.5407   C2011-942236-0
PS9561.R372T93 2011

L'instant même remercie le Conseil des Arts du Canada, le gouvernement du Canada (Fonds du livre du Canada), le gouvernement du Québec (Programme de crédit d'impôt pour l'édition de livres – Gestion SODEC) et la Société de développement des entreprises culturelles du Québec.

À toi, ma mie

Même si elle s'amuse à petite dose, la twittérature n'échappe pas à l'engagement premier de toute littérature qui est de réfléchir le monde.

Le monde en 140 caractères

Je connais bien des gens qui disent peu avec beaucoup. Mais j'en connais aussi plusieurs qui disent tout dans le seul envol d'un gazouillis.

Je twitte, je tweete et je gazouille ! Pour fracturer l'éphémère. Pour ratisser large. Pour syntoniser le réel. Pour concentrer l'éloquence.

La twittérature est d'abord un tatouage sur le corps intime, mais parfois un graffiti sur un mur qui secoue en sourdine l'inertie de la rue.

Il n'y a pas si longtemps, tu trempais ta langue dans de l'encre. Tu l'étirais. Tu t'approchais du mur et tu taguais. À présent, tu touites.

Il n'y a qu'une seule chose que je n'aie pas vraiment essayé dans Twitter. Mais là ça y est : en authentique twitt, je tweete que je touite.

Les médias sociaux ne proposent qu'un tissu de mensonges, pensait-il penaud. Car : « A beau tweeter qui vient de loin », disait-il désabusé.

Tweet un jour tweet toujours. Un tweet vaut mieux que deux tu l'auras. En avril ne te découvre d'un tweet. Je m'exprime à tweet que veux-tu.

OK ! La twittérature n'est pas le plus grand genre. Mais elle aura eu le cran de dire que le monde pouvait tenir en 140 caractères ou moins.

Tu ne parles plus, tu siffles. Tu ne chantes pas, tu gazouilles. En troquant le stylo pour le clavier, tu as épousé la légèreté de la plume.

En déployant un texte bref, la twittérature propose toujours une littérature des besoins intermédiaires, exempte d'arrogance et de brouhaha.

À l'animatrice qui doutait du pouvoir de Twitter pour exprimer de grandes choses, j'ai rétorqué : « On peut être big en étant p'tit, sti ! »

Tu es persuadé de l'effet boomerang de toute parole dans Twitter. Chaque RT repasse par son point d'origine comme une belle ellipse de sens.

Mais là j'aime l'art qui s'assemble au cœur des processeurs, l'art que génèrent les cartes mères, l'art qu'un nuage dissémine en gazouillis.

Des bouts de mots. Des fragments de phrases. Des parcelles de sens. Voilà tout ce que tu textes dans ton cher Twitter et ses 140 caractères.

Non ! C'est plus que ça. Car pour dire le printemps, il faut aussi la piste du réveil, la constance du cri et le gazouillis des hirondelles.

Même si vous publiez à une grande vitesse dans Twitter, vos abonnés le savent-ils que c'est toujours le même soliloque que vous poursuivez ?

On sait gré aux twittérateurs de ne livrer leurs tweets qu'à Twitter. Sinon, la terre entière s'abîmerait sous le poids de leurs gazouillis.

Ce que la twittérature perd en volume, elle le gagne en vitesse puisqu'elle branche ses lecteurs en temps réel sur un imaginaire interactif.

Certains quittent Twitter trop tôt. D'autres arrivent trop tard. Quand les mots sont en état de surchauffe, on a tort de négliger leur flux.

Rien ne peut interdire aux étoiles de filer vers d'autres néants. Même Twitter gazouille derrière la parole filante des caractères convenus.

« Mon fils, tu as choisi un parcours difficile. Ce n'est pas plus facile parce que c'est plus court. Tu verras, la twittérature c'est dur. »

Encerclez la bonne réponse. Twitter c'est : a) L'exubérance de l'infime ? b) La dilatation du négligeable ? c) La dissémination du compact ?

Twitter = 140 caractères. Dans cet envol du minimalisme, c'est la maxime, l'aphorisme et l'apophtegme qui y gagnent !

Tiercé en fasce, d'azur, à trois claviers d'argent, de gueules, à un iMac d'or, d'or, à un texte de 140 caractères Helvetica 12 gras d'azur.

Fier, l'œil fauve, fouillant l'air du temps, sa devise brodée en lettres d'or sur le revers de son veston : « Tweetez peu. Tweetez mieux. »

Un jour, un minable immense s'attaquera à la twittérature en prétendant qu'elle ne fait pas le poids. Et, ce faisant, il lui fera une fleur.

Twitter est le témoin de la plus grande excitation neuronale collective de tous les temps, du recul et des avancées de la rumeur planétaire.

« Vous faites de la twittologie, de la twittosophie, de la twittérapie ? » Non, dis-je avec crânerie et aplomb, je fais de la twittérature !

Il avait décidé de hausser son jeu d'un cran. Dorénavant il composerait tous ses petits textes de 140 caractères en exactement 140 secondes.

Dans Twitter, nos ratures ne tissent rien car elles sont aussitôt extirpées du grand registre. Nous perdons ainsi la logique du palimpseste.

Au Québec, un « twit » est un con et un « tweet » un gazouillis. Eh bien quand un « twit gazouille », c'est qu'un con, quelque part, tweete.

On me demande de tweeter plus court. Je ne peux plus tweeter plus court. 140 est devenu la mesure de mon souffle et de mon phrasé métronome.

Ils parlaient à voix basse. Lorsque je vis que leurs phrases tenaient toutes en 140 caractères pile, je crus que c'était une secte du texte.

Et Twitter, c'est tout ensemble : le lieu, la forme et la formule. Et quand j'y arrive en moins de 140 secondes, eh ben ! là, c'est le pied.

Twitter segmente, Twitter fragmente, dit-on. Twitter & cie scient. Ce n'est pas vrai ! L'enjeu ici c'est la dissémination pas la dispersion.

Twitter ? Rhétorique du raccourci ? Rhétorique de l'ablation ? Le professeur ne sut que répondre. Barthes me manque, soupira-t-il songeur…

Je suis séduit par la polyphonie de Twitter. Il relaie à petites doses les manifestations éparses du grand bordel des destinées improbables.

Je sais des compagnons pour qui tweeter « scratche » l'âme. Ils savent reconnaître les faux ciels des faux cils et leur courage est immense.

« À quel moment préférez-vous écrire ? » « Oh ! J'écris n'importe quand, vous savez. En fait, j'écris à twitt heure du jour et de la nuit. »

Nous avons numérisé l'ennui, la solitude, le désastre. Et comme la joie échappe à la lamentation, nous la faisons éclater en 140 caractères.

Il imprimait un tas de tweets impec qu'il roulait en boules compactes. Il les avalerait les jours de chiasse pour retrouver sa bonne humeur.

Tu tètes un peu trop Twitter : les lèvres abouchées au biberon des flux. Et parce que tu crois réellement aux pouvoirs du Web, tu rayonnes !

Tu es persuadée que Twitter aussi est un laboratoire d'écriture. Alors tu pousses un peu plus sur la métaphore afin d'y composter le cliché.

Twitter propose un formidable dispositif de fusion des intuitions. En les disséminant dans la Toile, il déclenche des ruses de concertation.

La twittérature naît d'une cassure épistémologique récente qui dématérialise le texte pour aller le faire paraître ailleurs, instantanément.

Tout ce qu'on affirme de la nouvelle : « arme du bref », « rhétorique de l'éclair », etc. peut, mutatis mutandi, convenir à la twittérature.

« CXL » est un long poème symphonique pour chœur et 140 voix, d'après un livret inspiré de cent quarante tweets des twittérateurs de l'ITC.

Il n'y a que dans mes rêves que je sois généreux. Sinon dans la vraie vie je suis pingre tellement que je ne m'exprime qu'en 140 caractères.

89 347 abonnements. Il lisait tout. Mais il prit du retard. Le 22/10/21, il en était aux tweets du 17/12/14. Pour lui le présent c'est fini.

À présent que tu tweetes du bout des doigts, l'enfance et ses châteaux de sable sont-ils des données qui peuvent enthousiasmer tes abonnés ?

Un déchet. Ton œil fuit comme une coque gercée. Ton regard est devenu une épave éventrée par 140 mètres de fond. Mutilé. Rapace de lui-même.

Je suis un tweeteur amateur. Je suis un tweeteur du dimanche. Je tweete entre deux heures, entre deux clameurs je tweete, entre deux peurs.

Parce que le réel prend les mots d'assaut et vice versa, nous gazouillons ; nous tweetons aussi parce qu'une voix en nous cherche une forme.

Pour qu'un chant naisse dans Twitter, pour que des mots y rabrouent le silence, il faut cette vigilance des 140 caractères, espaces compris.

Les twittérateurs ne barattent pas du mou. Ils s'étirent sur la p(l)age des mots : battures virtuelles où Twitter tisonne la braise du sens.

Twitter est une arme de camouflage intégral. Alors que certains n'y voient que des gazouillis légers, d'autres y glissent le poids du temps.

Librement inspirée de Fernando Pessoa, cette phrase comme une boutade : « La twittérature est la preuve que la littérature ne suffit plus. »

Les adeptes de la nanolittérature savent que tout rapetisse. De l'épée, on est passé à l'aiguille, à l'épine de Damoclès, moins douloureuse.

Tant et si bien que l'un dans l'autre et en toute vraisemblance – toutes choses étant égales par ailleurs – nul n'est censé ignorer Twitter.

On n'y compte pas les syllabes (terre de l'oreille), on compte les caractères (empire de l'œil). Twitter c'est du visible, pas de l'audible.

Un tweet est un tag. Tweeter, c'est taguer. Le Net est un mur. Tweeter la nuit. Taguer le Net. Svelte Twitter. Dense. Un opéra de fragments.

C'est au XVIIe siècle que Nicolas Boileau invente les premières règles de la twittérature : « Qui ne sait se borner ne sut jamais tweeter. »

Son « Art poétique » branche les twittérateurs : « 140 fois sur le clavier remettez votre tweet ; polissez-le sans cesse et le repolissez. »

Il terminait : « Ajoutez quelquesfois, et souvent effacez » comme si couper-copier-coller était déjà la clef du tweet à 140 caractères pile.

Question presque brutale et cynique : « En fixant une limite de 140 caractères, Twitter annonce-t-il une réduction de la boîte crânienne ? »

On dénigra les gazouilleurs. Un débat s'engageait entre les adeptes du Web 2.0 et les autres. Nouvelle querelle des anciens et des modernes.

Mesdames messieurs, bonsoir et bienvenue au Twitter-journal. En manchettes ce soir, « Bientôt à Bordeaux, nouvelle licence en twittérature ».

La décision est opportune, car la twittérature gagne du galon. Certains pensent même que l'écriture minuscule constituerait un genre en soi.

S'inspirant du plus petit des média sociaux en y glissant aphorismes, maximes et apophtegmes, la twittérature s'arrête là où Proust démarre.

Elle a ses fans, ses adeptes, son public et son esthétique propres. De source bien informée, de fortes personnalités Web appuient le projet.

Jean-Michel Le Blanc, artiste polyvalent vénéré du public et louangé par la critique, aurait conseillé le Ministère à titre de twittérateur.

Rejoint à son domicile de Bordeaux, Le Blanc s'est fait discret, refusant en effet de confirmer ou d'infirmer une rumeur plus qu'insistante.

Pressé de questions, il a cependant soutenu que ce projet, ouvert sur l'avenir des formes littéraires, assurerait la renommée de Bordeaux 3.

Par ailleurs, nous avons aussi appris qu'un colloque de 3 jours consacré à cette même twittérature aura lieu à Bordeaux, dès l'automne 2012.

Au thème du premier jour « Enjeux formels de la twittérature » succédera le lendemain : « Twittérature, pour une rhétorique de l'ablation ».

Au cours du 3e jour on se penchera sur les « Pratiques éclatées de la twittérature » en posant concrètement les limites de son enseignement.

D'autres thèmes pourraient aussi être abordés : « Racisme et twittérature », « Tweet et médiocrité », « Pornographie et twittérature », etc.

Une journée de précolloque serait naturellement consacrée aux textes de Jean-Michel Le Blanc (140), maître incontesté du récit nanotextuel.

Le colloque rassemblera les plus importants twittérateurs contemporains dont des représentants de l'Institut de Twittérature Comparée (ITC).

D'autre part, on chuchote que la présidence du colloque aurait été confiée au Britannique Sir Terrence Twitt, ce qui doit bien sûr être confirmé.

D'importantes firmes logicielles privées auraient déjà annoncé leur intention de commanditer l'événement. Bref, c'est un dossier à suivre…

Les grands bonds du savoir comptent toujours moins de 140 caractères : « je pense donc je suis », « e=mc2 », « faire plus avec moins », etc.

Rappel. Relais. Retweet. Sans cette ruse extrême du Web 2.0 tes assauts seraient bien en deçà du babil lumineux qui botte le cul au silence.

Twitter est un dispositif numérique de complicités nomades. Pour gazouiller, il suffit d'être là, mobile, quelque part dans la twittosphère.

Chaque gazouillis est une terre d'accueil, une piste pour l'envol, un héritage non subventionné, une zone franche, un territoire de liberté.

Insondable relais des cadastres, tu retwittes à qui mieux mieux et t'abouches au chaos des échos tant la superficie de la Toile est immense.

Twitter est la plus belle expression de l'obsession de la brièveté. C'est ça qui a conduit à la névrose généralisée du bref et du minuscule.

Il n'alignait sur le fil que des gazouillis garantis contre tout vice de fabrication. Les autres étaient retournés à l'usine pour réfection.

Revendication sans appel du négociateur syndical : « J'exige un boni à la performance pour tout twittérateur qui fera 140 caractères pile. »

Les poètes geek de Twitter ont tous plongé dans le Web 2.0. Le HTML, le RSS, le P2P, le Wi-Fi et les Wiki s'infusent dans leur tasse de thé.

Fana de R. Barthes, il avait retenu la leçon. Il était à la poursuite du degré zéro du tweet, du tweet absent et de l'obsolescence du tweet.

Twitter incarne le principe de la dilution homéopathique : le trop grand nombre nuit au suivi et transforme souvent les suivants en suiveux.

Twitter propose parfois la lente dégustation d'un texte bref. Sorte de cuisine minceur de la littérature, il est un lobby de pure concision.

Mais moi j'aime bien gazouiller l e n t e   m   e   n   t. C'est ma façon d'accélérer le passage du temps qui me mine…

D'errer sur les causes de mon ennui importe peu pourvu que je puisse virtuellement en contrer les effets. Et tout le reste est twittérature.

Tweeter ou ne pas tweeter,
ce n'est pas une question

La pensée est un geste de faïence lorsque le mensonge la trousse. C'est pourquoi j'avance à tâtons, tel un pion, sous le masque des énigmes.

L'existence aura été mon seul contretemps. Car sans elle j'aurais niqué les aiguilles des horloges avec une ponctualité parfaitement nickel.

Ta lucidité me fait craindre le pire. Tu dis que c'est la torpeur qui mène le monde et que l'ineptie des idées molles fissure nos cerveaux.

L'idée de perfection ne t'était pas étrangère. Ni celle de l'infini. Alors tu t'isolas dans une sphère sûre d'être ainsi au centre du monde.

L'éternité c'est bien. L'éternité est nécessaire. L'éternité est l'avant-dernier souffle de l'orgasme. L'éternité est la solitude des dieux.

L'enfance est un coup monté par les adultes pour ligoter le mystère en nous. L'enfance est précaire, disent-ils. C'est temporaire. Ça passe.

La vie est un bref banc d'essai permettant de tester le hasard et la mort. Nous ne devons jamais céder. Nous n'avons pas le droit d'échouer.

La solitude libère en nous l'ironie précoce de la mort. Mais parce que nous sommes encore vivants, nous en rigolons en secret, en solitaire.

Survivre est un acte de beauté qui prescrit une parfaite économie libidinale. Survivre est aussi un acte véhément qui confine à l'essentiel.

Il y avait un astre coincé que tu n'arrivais pas à avaler. « Déglutis ou crache » t'ai-je dit. Et tu as vomi, étouffée dans ta lumière vive.

Tu as fait frémir tes fantômes des malaises du mensonge. Ce n'est pas rien mentir ! C'est s'éclabousser de fureur et d'oubli. De rêve aussi.

Si c'est une rumeur qui te contraint au silence, tremble pour la suite des choses. Car tu te sentiras toi aussi, colosse aux pieds d'argile.

L'embonpoint du cerveau, sa lenteur et son affaissement révèlent les graisses solubles dans lesquelles baignent toutes les idées dominantes.

Le silence est devenu une sorte de donnée théorique. Une sorte d'écho disqualifié. Le silence n'existe plus que dans le souvenir de l'ennui.

Quelle est la différence entre un visionnaire et une andouille ? Le visionnaire sait maintenant qu'il sait ; l'andouille le saura plus tard.

L'imprécision du propos est une des tactiques préférées de l'imposture qui, d'une façon ou d'une autre, cherche toujours à liquider le sens.

Intervalle entre deux razzias, entre deux attaques, entre deux blitz, un gazouillis s'envole lesté d'une part de lucidité que nul ne plombe.

J'ai toujours eu un peu peur de merder ma fin. Peur de mourir muet, caviardé et seul, ligoté par une longue langue morte me souquant le cou.

Je sais parfaitement bien ce que je suis : une donnée parmi des systèmes en expansion exponentielle gérée conflictuellement par des réseaux.

Assez de vous énerver. La vie n'est qu'un faux pas entre deux heures. Ce n'est rien ! Ou si peu. Ça passera. Tout doucement. Comme le reste.

N'abolissons pas nos instincts. Il pourrait nous en coûter. Car si c'est le banal qui s'empare de nos vies, nous n'avons plus fini de râler.

Vous me refusez tout, même votre désolation. « C'est ça ou rien ! » affirmez-vous. Et moi qui ne voulais rien, je dois me contenter de tout.

Nombre d'experts affirment que les gens heureux sont tous un peu fous, mais que les fous eux, en revanche, ont rarement eu accès au bonheur.

Le mythe pascal le tuait. Il tolérait la croix et les clous, mais les cloches rentrant de Rome forçaient ses acouphènes et le rendaient fou.

Dieu est mort ? Alors parlons-en ! Il ne serait plus partout ? Il ne saurait pas tout sur nous ? Vous en êtes sûrs ? Vraiment ? Et Twitter ?

O.K. Dieu n'existe plus. Mais les dieux existent. Ils cisèlent mes dérives, sont aux carrefours de mes ivresses et flambent dans mes femmes.

Après les messes à gogo, voici les sermons tweetés. Beau progrès techno qui redonne à l'Église un statut de culte tout à fait dématérialisé.

La vérité n'appartient pas aux faits ; elle naît du récit qu'en fait le cerveau. Admettre une métaphore en preuve servirait donc la vérité ?

L'excès de lucidité nous plonge tous dans un vortex d'évidences. On part tous du mot pour lapider la glotte noircie des démences politiques.

Ce jeune anthropophage rejetait la théorie de Freud. Il ne voulait pas « tuer son père », mais plutôt l'ingurgiter, le digérer, l'assimiler.

Il est bon parfois de provoquer des coups durs. Pour générer des turbulences d'univers. Pour amorcer l'explosion du fulgurant geyser en soi.

La dispersion n'est plus ni tort ni tare de l'esprit. C'est une nouvelle méthode de travail que légitiment tous les moteurs de recherche.

Tout a un poids : l'air, l'ombre, le sens, l'art, l'envol, la névrose. Cette dernière pèse plus que tout, elle peut même amortir le remords.

Contrebandiers du virtuel, nous transbordons l'essentiel sur des écrans dérisoires. Et nous survivons grâce à l'utopie formelle des ratures.

Où est ta bravoure ? Tu circules allègrement dans l'anonymat de ton avatar comme l'autre dans la sueur de son tchador. Et tu t'en glorifies.

Contrairement à la poésie, la philosophie propose une implosion des frayeurs, un limogeage des enchantements et une stabilisation du délire.

Les religions actives sont des mythologies moroses trop imbibées de leur pouvoir pour vraiment soulever l'espoir. Au mieux, elles consolent.

Les médias avaient titré que le champion avait accepté la défaite avec humilité et grandeur. Ce qui signifiait qu'il était en beau tabarnak.

Même à la toute fin, en panne de tout, tu ne sauras saisir le crucial et choisir qui, du maquillage ou de l'ecchymose, tient lieu de vérité.

Ne te contente plus du terne. Enrichis-toi de la noce des jours et bousille les trajets dans lesquels grésillent les corbillards de l'ennui.

De la cuisine chinoise, il n'avait retenu que le yin et le yang. Il cuisinait une soupe de bœuf au mérou et une bouillabaisse à la saucisse.

Pourquoi tant s'énerver. Il nous reste bien quelques ongles, un biceps – ou deux – et notre langue. Et l'espoir ! Ce ne peut plus être pire.

Je dois bien le reconnaître : tu fais tout pour éradiquer la corrosion du désir et éparpiller les emmerdements de la psychose et de l'ennui.

Rien ne s'oppose vraisemblablement plus au retour du doute dans ta mémoire. Car vois-tu, même ton regard en fuite s'effondre dans un miroir.

Vous voulez vraiment connaître le fond de… Le fond de ma pensée ? Ben, voici ! Je déteste le sexe : le sexe sue, le sexe pue, le sexe tue.

S'il m'arrive parfois d'éprouver l'exorbitante mutilation de l'ennui, jamais je ne cède à sa dérive de sel. Jamais je ne me gave d'insultes.

L'inconstance de nos amitiés trop souvent dépend de l'inconsistance de nos manœuvres virtuelles. Que de fantasmes cassés sur un simple clic.

J'ai tout essayé. Mais lorsqu'on n'a que de tout petits moyens, il est difficile d'envoûter la Reine de la nuit en 140 caractères pile-poil.

Ta fertilité est un assaut contre le néant. Et lorsque tu t'épuises à te reproduire, ta chair en sueur en sort toujours dominante et laquée.

Je vous fais grief de priver tout objet pratique du poids de sa majuscule. Un Moleskine a un tracé plus lourd d'encre qu'un moleskine, non ?

Ton héroïsme m'accablait. Tu m'attaquais et me combattais avec une telle noblesse que c'est l'enfance en moi qui s'avançait. Et je pleurais.

Afin d'accroître ta résistance au stress, tu exacerbais la brouille entre les individus. Évidemment tu prenais des baffes, mais en souriant.

Le dépérissement stratégique de soi est une façon d'abandonner à l'ennemi ce qu'il convoite le plus chez nous : l'heuristique de nos reculs.

Nous avons tout. On a tellement tout qu'on n'imagine pas le tout sans son rien. Et si nous n'avions rien, ce rien ferait-il partie du tout ?

– C'est tout ou rien ! – Mais non, c'est rien du tout. C'est même deux fois rien. Car c'est précisément comme si de rien n'était après tout.

En général, rien ne vaut le tout. Mais on ne peut pas vraiment tout avoir si en tout et pour tout on ne possède presque rien en particulier.

On a tout. Ce n'est pas rien ! Mais je crois que la réciproque n'est pas vraie. Ce n'est pas parce qu'on a rien qu'on a nécessairement tout.

Le métissage des mélancolies conduit effectivement à la névrose. Alors elle s'accommode raisonnablement bien de toutes les folies ambiantes.

La vérité se moque éperdument du mensonge. Elle lui fait honte, elle se moque de lui et finit par lui foutre la plus belle raclée de sa vie.

Nous abordons la vie comme une cause perdue. Cela nous permet de manœuvrer gaîment la tête haute et sans même oser espérer gagner la partie.

Autrefois les dieux étaient diffus, leur prix abordable. On les attendait là où ils n'étaient pas. À cette époque, les dieux étaient utiles.

Dur d'oreille, Laïos avait compris que « l'appétit » le dévorerait. Œdipe, qui savait tout de la Pythie, vit immédiatement qu'il était cuit.

L'humanité est unanime pour dire que nul ne doit tuer son père, sa mère, sa sœur, son frère, sa fille, son fils. Mais ceux des autres, oui !

Dieu est tout. Donc Dieu est con. Et ça m'arrange. À voir toutes ses conneries, j'avais fini par désespérer. Mais là, ça va ! Dieu est con !

Chère Ariane, toi qui te dilues dans la brièveté du sujet, tu cries à l'aide. En temps réel. Personne ne répond. Tes amis ont perdu ton fil.

Ma présence au monde n'est pas si sublime que ça.
Ma présence au monde n'aura de valeur que pour le
nombre de morts qui auront été mes amis.

Sans le génie génétique et par simple empilement de
prénoms, on peut créer des êtres divins. Ainsi Adolf
Baby Ben serait un monstre parfait.

J'ai tout essayé : l'ennui, la soif, le divorce, le deuil,
la honte, la folie. Rien n'y fait ! À bien y penser, seul
le bonheur me convient.

Tu mis au point un cynisme de très grande qualité.
Une sorte d'orgueil sidéral qui clamait que tout depuis
l'origine était nul et non avenu.

Par rapport au malheur, le rire est un imposteur. Il
applique ses ventouses sur le dos de la détresse pour y
sucer le pus noir du désespoir.

La limite de la volonté correspond exactement à la
limite de l'horizon excepté que c'est la volonté qui
délimite l'horizon et non l'inverse.

Le vrai est de retour. Les gens veulent du « naturel ». Les femmes optent pour les gros sourcils, les culottes de cheval et de petits seins.

Les hommes aussi passent à la greffe du « naturel ».
– Docteur, posez-moi un peu de laideur et avec un tout petit zizi pour faire plus vrai.

Si tu résistes à ta douleur n'aie pas peur. Tu seras secourue par les forces qui incendient les obstacles et accélèrent la frénésie du rire.

Il faut mettre des couleurs sur chaque songe. Il faut les trier selon leur lumière propre pour inciter l'arc-en-ciel à chatoyer sans soleil.

N'attends rien de ta conscience. Ni de celle des autres. Plonge dans tout ce qui peut te rapiécer pour nier en toi la persistance du neutre.

Un fils qui n'aurait jamais voulu critiquer la conduite de son père serait un couillon. Un père qui, etc., serait un ratatiné de la couille.

On s'applique à froisser le lisse. Sur des peaux saignantes aux stries rougies, on aiguise ses lames dans les chairs. Pour abuser de la vie.

Même en la mimant, l'art n'aboutit jamais à la mort. L'art conduit immanquablement au démantèlement des dogmes et à leur saccage généralisé.

Entre le pire et le mieux, il faut toujours choisir le pire. Car le pire est une valeur sûre puisque le pire finit toujours par se produire.

Les pensées n'ont de sens que si elles sont agitées par la rythmique de la dissidence. Et le reste n'est que la fiction héroïque de l'ennui.

La liberté croise toujours à proximité des moulins, de leur envoûtement, de leur magie et de leur aptitude à transformer la paille en nuage.

Un jour sur deux, mon surmoi déguerpit ; puis il revient et repasse sur moi. Mais j'aimerais bien mieux que tout ça se passe inconsciemment.

Oublie que tu fus naguère quelqu'un de grand. Tu verras, un jour, tu seras remorqué sans que nul ne le remarque par un infime filet de vent.

Un mot de passe te relie au reste du monde. Si tu le perds, expulses-tu vraiment l'univers de ton cerveau ? Abandonnes-tu à jamais le réel ?

Tu cultives le néant avec une telle opiniâtreté qu'on pourrait bien voir se creuser un trou noir au creux de tes mains. La nuit y brûlerait.

Ne pas paraître satisfait. Ne jamais cligner de l'œil. Refuser de sourire. Voilà comment signifier que le bonheur n'a pas de prise sur nous.

On se rabat sur notre carnet d'amis. On s'emballe follement pour le fugace. C'est notre dû. L'inutile devient irremplaçable. Qui l'eût cru ?

Notre marge d'erreur est si élastique que nous nous félicitons de manœuvrer dans la ratatouille du ouï-dire. Nous sommes de l'instantanéité.

Vous ne pouvez comprendre notre félicité : nous damnons notre âme d'habiter le présent. Son assaut. Sa culbute. Son tassement. Son étreinte.

Le rire et son spasme de conard nous font oublier momentanément que la vie est une farce grotesque qui, tôt ou tard, finira par mal tourner.

Tu es fiévreux ? Tu éprouves des vertiges ? Mais quitte donc l'empire des détails et pousse tes banquises à la dérive. Tu verras, ça marche.

En choisissant la folie comme refuge, vous avez prodigieusement laissé l'ordinaire des choses s'abîmer dans le long protocole du désespoir.

L'impolitesse des fanatiques consiste à mépriser la totale souveraineté de nos pouvoirs intimes. Le reste n'est qu'une affaire de gros sous.

L'indécision est une forme de pudeur. Ce n'est surtout pas de la faiblesse, mais une stratégie de vision pour prédire ce qui ne sera jamais.

De temps en temps

Le « temps réel » est une invention récente. Il n'appartient ni au futur ni au présent. Le « temps réel » est une errance entre deux heures.

Chut ! C'est le sablier de la nuit qui égrène son flux de mystère. Et comme toujours, ta caresse impeccable est ma seule seconde d'éternité.

Car la mémoire appartient au présent : elle est la vigie du temps et l'expression même de la cynique rivalité entre l'espoir et le souvenir.

Les cerveaux qui filent vers le futur ne sont pas toujours ceux de nos contemporains : « Comment vivre sans inconnu devant soi ? » (R. Char)

Ce n'est plus du passé. Ce n'est pas encore du futur. C'est le présent ! Un abîme entre deux heures, un espace infini au cœur même du temps.

Retour en force du jour ? Non ! L'aube est une stratégie de rappel : signal que parfois l'infini s'abrite dans quelques secondes de lumière.

Si je remets à maintenant ce que j'aurais pu faire hier, c'est que je déjoue chaque seconde liée à cette idée que « le futur est distrait ».

Le temps n'existerait pas sans la perspective de notre propre mort. Et l'éternité n'est pas responsable de son immobilisme.

Twitter est au cœur du temps. Il s'occupe de la brièveté des collisions, de la ponctualité des incidents et de l'immortalité des commérages.

La solitude – comme Twitter – est une machine merveilleuse. Une méthode pour expulser la mort du plus creux d'une nuit étale et sans songes.

Depuis peu dans Twitter je mène une enquête sur l'éternité. J'y suis débarqué avec des outils pour mesurer le niveau de la rumeur éternelle.

Vieillir n'est pas une honte. Vieillir est cette obstination à propulser l'imaginaire jusqu'à l'ultime gazouillis. Vieillir est un art rare.

Le temps tire une trace que nul vent n'efface. Un mot pend de ta lèvre. Qui gonfle. Effigie. Tordue. Concassée. Dans la sphère de l'absence.

Le temps repense les données du deuil des mots. Le savoir repousse ce que l'oubli séduit. Je ne gère pas encore bien le silence et sa plaie.

Le futur est un pastiche du temps exact. Le plus drôle c'est que demain est déjà fait d'événements que nous avons encore oubliés maintenant.

On cherche à étirer le temps. À rallonger les heures. À prolonger le bonheur. Mais en définitive, on sait bien que seule la mort s'éternise.

Je ne cherche ni le calme ni le bruit. Ni le dur ni le mou. L'équilibre est mon guide. La paix me guette. Je vivrai vieux. Mais je m'ennuie.

La zone cérébrale du bonheur à rabais était en panne. Et le temps que dura l'effet de la petite gélule rose, il vécut heureux et sans souci.

« Je vous félicite monsieur. Il s'agit du CV le plus complet qu'il m'ait jamais été donné de lire. Tout y est, même l'heure de votre mort. »

L'imaginaire bricole l'impensable. S'aboucher au temps et s'incruster dans la peau lente des mots permettent aussi d'afficher l'inénarrable.

« Là, fais vite ! Ça passe comme un éclair blond qui sautille en joggant et ça crève les yeux toute cette beauté qui passe en trottant. »

Nous croyons que l'instantanéité des infos et la vitesse des liens tissent du courage et de la complicité. Mais nous sommes grégaires…

En réalité la nuit m'est totalement égale. Le jour aussi d'ailleurs. Car ce que je recherche par-dessus tout, c'est l'ombre et le demi-jour.

Planification de la nuit. Plan A : épier ma blonde et lui dire au réveil : « Chérie, cette nuit tu as lesté tes cils. » Plan B : dormir dur.

Planification de la nuit. Plan A : poursuivre le décompte des lucioles amorcé la veille – 927, etc. Plan B : boire un lait de mollets laids.

Planification de la nuit. Plan A : congédier la nourrice. Plan B : insérer dans les trous d'acné des ados de petites plumes pour faire joli.

Planification de la nuit. Plan A : serrer la main de toutes les coccinelles que je connais personnellement. Plan B : boire un jus de lacets.

Planification de la nuit. Plan A : installer des serre-joints aux rotules des escrocs. Plan B : rabaisser le caquet des pas clairs-de-nœuds.

Planification de la nuit. Plan A : ajuster la teneur en phosphore des aubes rupestres. Plan B : liquider la dette des grimaces outrancières.

« À la fin, m'as-tu dis, tout recommencera. » Et je me suis mis à tout saboter, à tout briser, à tout abattre pressé d'en finir avec la fin.

Images du temps en charnière sur nos têtes, les nuages marchent dans d'incestueux simulacres. Pour oublier l'orgueil, la méprise et l'ennui.

Mentir à sa mémoire (ce qui se nomme aussi l'oubli) est une façon de décamper du présent. Serait-ce également une façon d'habiter le futur ?

Attendre est un job à temps plein qui paie peu. On dit même que des experts attendent l'attente. Et ce sont eux les plus expéditifs de tous.

En attendant que tu meures, prends bien ton mal en patience, ronge ton os et explore toutes tes limites comme si le destin enfin s'effaçait.

Au réveil, c'est la paresse qui crève. Tout tend vers la dépense et la surconsommation du jour. Tout se crispe autour de l'horaire des fous.

Si le temps progresse en toi, c'est que le temps commence avec toi. Tu pénètres alors la naissance du temps et commandes à la fin des temps.

Les pensées tirent toute leur force d'une certaine rythmique de la dissidence. Alors il faut dans ta tête que ce soit rubato et senza tempo.

L'épiderme des frilosités grelotte de toute part comme des chairs de poule en cratère. C'est le miroir du temps qui craquelle sur nos peaux.

L'abîme au fond de l'œil est plus qu'une percée sur l'infini. C'est une halte dans le néant. À peine plus courte qu'une pause dans ta folie.

Au déclic des montres, un rayon minuscule perce le bouclier de tes paupières. Tu vois clair. Enfin ! Et le jour bourdonne comme un talisman.

Je ne sais pas si je suis avalé ou si j'avale le temps. Les secondes filent : c'est déjà demain. Et voici que bientôt, c'est déjà trop tard.

Avant l'invention de l'espace, le temps n'existait pas. Maintenant qu'il est là, c'est l'éternité qui protège la fragile seconde de l'oubli.

Ta mobilité est une totale illusion. Nous savons que c'est sur place que tu atteins ta vitesse. Et c'est cela que le guépard tente d'égaler.

L'éternité est une ombre sous les ongles, un passage à vide dans l'errance. Qui plaindrait le temps qui plie sous la griffure des insoumis ?

Je bougerai la manette des mots pour glisser un peu d'ombre dans l'obscur. J'aurai des amitiés riches. Des phrases brèves et des rêves nets.

Cela rassure de voir le présent tomber en ruine. Ça fait de l'espace pour l'avenir, pour les noires chevelures et pour l'envol du numérique.

Je ne peux m'absenter ni longtemps ni trop souvent. L'ailleurs en plus me suce de larges plages de temps. Et Twitter se délecte des miettes.

Il n'est pas rare que le goût de la distance – cette éternité discrète – ravive chez tous la passion pour cette seconde qui précède la mort.

Soyons clair : il n'y a que le frisson qui puisse s'ajuster au rituel de la mémoire. La beauté surgit plus tard, au cœur des mots.

La mort et les mots c'est tout comme. La mort mime à rebours une grande explosion de vie et le mot lui se ratatine dans l'implosion du sens.

C'était comment ? Mais c'était ça ! Quoi ? Mais ça, le nec plus ultra ! Quoi ? Eh oui, l'inespéré ! Cette arche suspendue entre deux heures.

La vie quoi qu'on en dise est une science exacte. On connaît l'heure de sa naissance et tout le reste est plein de relations d'incertitudes.

Ta prophétie se réalise : la nuit voyage incognito et tu prends des poussières d'ombre en filature. Ta folie sort enfin de son abri de bête.

Challengeant sa mémoire, son maître lui dit : « Voici un nombre que tu dois précisément retenir. Et en voici un autre que tu peux oublier. »

Ironiquement, l'histoire nous apprend qu'il oublia petit à petit le numéro qu'il aurait dû retenir et retint le numéro qu'il devait oublier.

Nous avons le choix : vivre vite et mourir tard, vivre tard et mourir vite ou vivre lentement et mourir vieux ou vivre vieux et mourir seul.

Comment espères-tu défier le jour alors que tu ne maîtrises même pas les démons de ta nuit ? N'appelle plus à l'aide. C'est inutile. Écris !

J'ai oublié ce que je savais et je suis tout près d'oublier ce que je sais. Je limite ma mémoire au minimum. Pour être enfin là. Pour rien !

Non, non, non ! Ne largue pas tes deuils trop vite à la mer. Crois que le temps peut encore renverser les vapeurs du délire. Oui, oui, oui !

C'est lorsqu'on ne cesse de l'imaginer que le sens est éternel. Mais l'éternité est une donnée furtive surtout si on la consomme maintenant.

Le calendrier me fait penser au libellé d'un bref de condamnation à mort. Y figure la date. Il n'y manque que l'heure et le nom du bourreau.

Au cœur de la douleur, il y a le temps. Il y a l'espace. Il y a les morts qui font au revoir. Il y a des yeux qui se cramponnent aux larmes.

Tu calomnies à qui mieux mieux et en gueulant à bouche que veux-tu que l'oubli est la ventouse du temps. Mais personne ne te croit vraiment.

Les rapports de dépendance et les conflits d'horaire sont des désordres névralgiques. Ce sont eux qui régissent encore le cours de nos vies.

La tâche était impossible, mais elle le passionnait. Pour aménager le présent, il rafistolait l'éternité en grattant les coquilles du temps.

J'ai longtemps cherché dans la forme des nuages une sorte de prophétie foudroyante. Mais je n'y ai trouvé qu'une vision cadenassée du passé.

Agitation du temps. On se cramponne aux détails. L'œil s'aiguise. Les sens y trouvent leur compte. Rumeurs. Ici et là, la tendresse survit.

Je ne rouspète jamais. J'étire la ligne du temps et la laisse filer au vent. Je condense tout : lieux, mots, rumeurs, lumières, sons, tout !

Le sourire n'échappe jamais aux trêves du temps. Le destin s'agrippe aux morsures déguisées du bonheur. Survivre est un acte de beauté crue.

Le radotage galope au large de ta foudre cendrée. Tu te dissous dans ton fil de discussion. Le destin n'échappe jamais à la toupie du temps.

Quand on n'a plus de mémoire pour se rattraper, on invente le présent ou on plonge dans le futur. C'est pourquoi je fais de la twittérature.

Ne pas se taire

Il existe une violence de haut niveau, discrète et invisible, qui laisse peu de traces apparentes, mais qui laboure les chairs jusqu'à l'os.

Lorsque les Grands discutent de petits enjeux, on appelle ça un débat. Lorsque les Petits abordent de grandes questions, c'est du placotage.

140 mille morts. Con le coup du sort ! Pas encore ? Haïti, t'haïs-ti la mort ? Et de l'autre côté, Tahiti, calme comme un tableau de Gauguin.

DERNIÈRE HEURE — Une rumeur circule par SMS qu'un groupe d'experts recommanderait de porter la vitesse sur les autoroutes de 120 km/h à 140.

C'est en manipulant la gaine des bêtises que tu peux moucharder le mensonge massif des dépêches. Ainsi tu gardes ton calme devant les infos.

Les politiciens mafieux devraient tous se suicider : qu'ils s'enfoncent le canon de la vérité dans la bouche et qu'ils pressent la gâchette.

Ce sont des illusionnistes qui gouvernent le monde, pas des politiciens. Et le spectacle continue, plus virtuel que jamais, miteux, minable.

Je casserai du sucre sur l'échine des magouilleurs. Je tordrai le cou des mange-marde. Je mordrai la langue des donneux d'enveloppes brunes.

Véritable coup de gueule dans la partition des rectitudes, la poésie brasse la cage des assoupis et fout des baffes aux pas clairs-de-nœuds.

Dans nos CV, nous notions la date et l'heure de nos indigestions. Pour anticiper le haut-le-cœur de ceux qui ne seraient jamais nos patrons.

Aux olympiades de la corruption, tous aspiraient à la médaille d'or : politiciens, maires et trous du cul de toute obédience s'affrontaient.

Les politiciens avaient recours à la chirurgie esthétique. « La face la plus prisée, révèle un plasticien, est la tête d'un homme honnête. »

L'itinérance stratégique et le nomadisme citadin déterminent le positionnement critique des usagers dans Twitter. Mais les assis sont muets.

Ses propos rétrogrades plaisaient aux masses. Elle aimait les provoquer. Elle rassembla des adeptes, prit la parole et fit un long discours.

« L'information se corrompt sans cesse. Comme une sorte d'espèce en voie de disparition, nous barbotons dans la boue des idées numériques. »

Tu n'as pas d'envergure. Et pourtant tu réussis. Comment expliquer cela sinon par une montée du crétinisme chez certains cadres supérieurs ?

Je comprends à présent qu'il m'est parfois peut-être arrivé de serrer la main de vieux porcs dégueulasses et de quelques truies magnifiques.

« Le testament de votre père est clair : vous êtes à parts égales ses uniques héritiers. Ses biens meubles et virtuels vous appartiennent. »

L'aîné dit : « Je prends la maison. » Le deuxième : « Moi, le chalet. » Le cadet enfin : « Moi, simplement son ID et son MP dans Facebook. »

J'y trouverai un véritable trésor : ce sera l'itinéraire de son intime Graal et la carte neuronale de ses affects. Tout ça est hors de prix.

Il venait d'ouvrir un commerce lucratif « Atelier de mimiques ». Les laids affluaient et, à force de contorsions faciales, s'embellissaient.

Je n'hésiterai jamais à serrer la main d'un homme dont les ongles brunis farfouillent dans d'la marde. Car cet homme, enfin, accède au réel.

Les voici : en grande pompe, deux par deux, en robes d'apparat, à petit pas, en souliers d'alpaga, frais oints et les couilles dans un étau.

En vedette cette année au 14e grand gala des névroses : les désabusés de la baise, les greffés du gland et les prêtres gâteux des années 60.

Ta marginalité composte une cassure que ta singularité verbale ne peut expliquer. Il y a des mots sombres qui n'appartiennent qu'à la folie.

Il ne faut pas mettre sur un même plan les vrais culs et les faux cons. Quand un ministre niaise à la tv est-ce un faux cul ou un vrai con ?

À trop souffrir on perd les pédales. On lessive les prémisses du bonheur. On se contente de l'inutile et du trivial. On réinvente la morale.

En riposte, l'attaque est la meilleure stratégie. Feins d'abord le désarroi, fais mine de battre en retraite, puis, déploie tout l'arsenal !

Et pour les mater, lance un dernier trait, balance l'ultime formule : « Perec Prestigieux Prestidigitateur », ils ne s'en remettront jamais.

Voilà comment tu dois enfoncer les ploucs qui rient et blaguent à ton sujet : tu onomatopates, tu allitérationes, tu assonances et tu rimes.

Étrange époque où, pour pourrir et sentir le suri, les charognards de la construction n'attendent même plus d'être morts.

Pas besoin du canal météo ce matin pour nous dire qu'il fait un temps de cul et que la chiasse n'arrête pas de nous tomber dessus.

Constamment la politique répudie la vérité. Elle s'en tient aux hérésies stratégiques et à de tout petits mensonges.

Si un ministre arrive au scrum avec une bette en peau de pet, c'est que son odeur l'a quitté et qu'il empeste la sueur de ses spin docteurs.

L'outillage excessif du psy face au fou est une fiction. Ainsi pour la langue des barbares que certains ne voient pas autrement que musclée.

La rouille s'installe toujours dans les idées immobiles. Les cerveaux qui les abritent se mettent alors à grincer comme un vieux métal roux.

Aujourd'hui rares sont les hommes publics dont le maudit visage à deux faces n'inspire pas un dégoût instantané. Je pourrais citer des noms.

L'antithèse et l'oxymoron étaient ses prises préférées : il aimait dire que les morts vivants ont toute la vie devant eux. Ça le fouettait !

Sa peine de mort lui est égale et il s'en fout totalement. Car ce qui le détruit à petit feu et à la fin le tue, c'est bien sa peine de vie.

La gestion de l'humanité ne doit pas être confiée aux corbeaux, mais aux souris qui savent comment se comporter devant un fromage alléchant.

On croit parfois que certains politiciens font partie d'une espèce disparue : au mieux, ils sont déjà froids, au pire, ils puent le cadavre.

J'ai suivi de près mes amis et mes ennemis et tous ont de petits rêves – les femmes comprises – ce qui les rend hélas vulnérables et risibles.

La notoriété (numérique et/ou politique) s'accompagne presque toujours des grands sparages qui démasquent la superbe faconde du paon en soi.

Sondage éclair : les rêves qui passent par Twitter et Facebook sont-ils : a) des rêves impérialistes ou b) une sotte conversation de salon ?

Monsieur le Juge, il n'est pas fou. C'est vrai que sa collection de glaires et de crachats inquiète, mais voyez la précision des étiquettes.

Avant de t'affaisser au seuil de ta nuit, je te conseille de rugir afin d'effrayer toutes les hyènes qui désirent sucer la moelle de tes os.

Je suis prêt à t'ouvrir le ventre mon beau salaud pour voir s'il te reste encore de cette haine que tu buvais dans le sang noir des martyrs.

Homme aux propos de remugle, comment se fier à ta parole de morve et de mucus, toi qui prends le parti du parti bien avant celui de l'état ?

En taillant tes vêtements dans des linceuls, tu déguisais les vivants en cadavres. Et ça, jamais les snobs de la mode n'oseront en convenir.

Écoutez ! Personne ne devrait tenter pétrir le silence en mon absence. Attendez qu'on s'y prenne à plusieurs. Le cri n'en sera que plus cru.

Il y a des crétins qui croient que le rêve est une pure perte de temps. Les soumettre à la salvia divinorum anéantirait tous leurs préjugés.

Pour attiser la braise de notre regard de loup, ce qui est possible n'est pas suffisant : il faut aussi que la trace des objets soit béante.

On en était venu à éprouver une espèce d'écœurement concis et poli. Comme devant toutes les amabilités obligées des festivités du Nouvel An.

Vous brandissez votre révolution comme une dérive et vous croyez que les constellations sont meurtrières pour quiconque nie l'amour en bloc.

La beauté écrase tout ce qui l'attaque. Les laids et les laides finissent tous par crier « Aïe ! » comme si l'enclume leur cassait le pied.

En ce beau pays de pluie la mise en demeure précède souvent la mise en quarantaine, la mise en déroute, la mise en tôle et la mise en bière.

Pourquoi tant d'intérêt pour les ragots de coulisse et si peu pour la morsure de l'insoumis ? Et pourquoi magnifier la mièvrerie du vivant ?

Les ambassadeurs du futur n'avaient pas très bonne mine. « En aval ça se gâte » disaient-ils. « Tout est en place pour que ça finisse mal. »

Aux mortels préambules, nous préférons l'action : les texticules en moins de 140 caractères, les maximes, les aphorismes et les apophtegmes.

Je vais bientôt conspirer pour que des pans entiers de culture culbutent dans l'œil des gens. Je vais carrément comploter en 140 caractères.

Il fomentait des complots terroristes, mais n'en commettait aucun. Il aurait bien aimé boire du thé dans un bol à café. Mais il n'osait pas.

À tous ces chefs d'État qui nous baisent dans la bouillie du bobard. À ceux qui friment les faits et fardent la preuve, voici ce que je dis.

« Vos idées ont une forte odeur de caca ? D'accord ! Mais torchez donc avant de parler le petit pâté brun qui grime la moue de vos lèvres. »

Le débat sur l'identité nationale baliserait toutes métaphores : « le teint de pêche » reculera-t-il devant « le teint de baba ghanousch » ?

Poli et bien élevé, il n'osait pas lui dire de manger d'la marde. Il lui offrit plutôt en souriant un filtrat d'intestins sur un lit de riz.

On m'a dit que la vérité est une des convulsions du mensonge qui, pour se refaire une beauté, attrape un ouï-dire par la queue et le secoue.

La futilité sans pudeur et la fatuité du pire étaient ce qu'il voulait abolir pour civiliser les médias sociaux. Et il perdit tous ses amis.

L'audace corrompt les appels au calme. Mais le calme à petit feu nous tue. Alors l'audace est nécessaire même si l'audace est pugnace. CQFD.

L'histoire est une convention jamais négociée. Car les faits nouveaux torpillent toujours la flamme des veilleuses au profit des manchettes.

L'abandon stratégique et volontaire est une des façons de livrer à l'ennemi ce qu'il convoite le plus : le bordereau de nos petits bonheurs.

Nul doute que la douceur sévit. Je la reçois comme une catastrophe de la libido et m'en accommode comme s'il s'agissait d'un rituel amaigri.

De petits indices, comme ça, à la surface des choses, indiquent que tout va mal. Les crues, la déroute, la sensation nette que tout déferle.

Le rapport annuel sur la migration des flux érotiques du gouvernement sera rendu public dès demain. On l'attend comme un bon divertissement.

Aux douanes, on m'a demandé si j'avais quelque chose à déclarer. J'ai sorti ma clef USB de mon sac, dévissé ma langue et remis mon alphabet.

Les délateurs sont là un peu partout. Ils cautionnent tout sur le tas des rumeurs. Leur négoce bourgeonne comme une graine dans de la bouse.

On ne laisse pas croupir dans le silence ceux que la rumeur cloue aux carrefours. On élève notre jeu d'un cran et on lance un rictus bouffi.

Les rats n'ont jamais cessé de gratouiller dans le vif des vertiges. Ils persistent à ronger l'humeur et la rate des petits esprits décatis.

Voyez-vous la cambrure du cerveau lorsqu'il campe les assises du récit ? Devinez-vous maintenant pourquoi il titube lorsqu'il tord le réel ?

Le propre du flou est d'épeler le détail des surfaces en catimini comme s'il s'agissait d'un des motifs de l'oubli. Le reste, on s'en fout !

Voici l'énoncé de la loi de Condom : « La stérilité augmente les chances de survie ; l'humanité qui rétrécit force le progrès de l'humain. »

Le branle-bas analogique de la créativité libère de telles forces dans le cerveau que de petites miettes d'univers finissent par se toucher.

C'est néanmoins dans la controverse et le haut-le-cœur que tu établis la supériorité de tes miasmes sur la parole gangrenée des politiciens.

C'est fini. Je rends les armes. Je m'arrache les ongles. Je range mes lames. Je deviens inoffensif. Je me coule dans mon divan et j'observe.

Des mots sur les mots

Tôt dimanche matin, je vais aux puces. Je cours acheter des mots. Je négocie à rabais des mots de seconde main. Des mots défraîchis. Usagés.

Après je vais au W-M (Word-Market Stores). J'achète en solde et à crédit des mots utiles et utilisables tous les jours. Des mots bon marché.

Puis pour les mots un peu frou-frou que j'utilise pour parler des femmes, je vais dans une boutique spécialisée. Et ça coûte la peau du cul.

Enfin, je me rends à l'entrepôt du son. J'achète en gros et en vrac voyelles et consonnes pour bricoler mes propres mots. Et c'est pas cher.

Il y a un prix pour chacun des mots que j'utilise. Certains coûtent cher et je ne m'en sers presque pas. Et dire que d'autres sont gratuits.

Il arrive que certains soirs je sois plus fortuné. Alors là je n'hésite pas et je me sers de mots d'or, sertis de sens et ornés de symboles.

Mes idées dans Twitter appartiennent à la nouvelle économie du savoir. Évidemment, je vous consens des rabais et vous bénéficiez d'aubaines.

Tu connaissais par cœur le vocabulaire du chaos. Et quand tu prenais la parole, ton discours nous ensorcelait par le brio de son galimatias.

Tu fouillais le soir dans le dépotoir des mots. Tu en trouvais un ou deux qui avaient peu servi. Des mots de seconde main. Que tu recyclais.

Les pensées mortes sont toujours bien vivantes. Nous les colportons avec l'enthousiasme des névroses qui euthanasient le sens et l'histoire.

Tout est démesuré. La poésie même bat au rythme des confidences minutées. Et parfois nos yeux incendient les astres et la trace des mutants.

La pédagogie vivait une véritable révolution. Le « caractère » remplace désormais le « mot » pour mesurer la longueur des travaux scolaires.

Le dernier examen proposait un court commentaire composé. Le maître s'avança et lut distinctement les trois sujets imposés par le Ministère.

1) Dans un texte de 700 caractères (avec citations) commentez en 5 courts paragraphes la phrase suivante : « Rimbaud tweetait précocement. »

2) Dans un texte de 700 caractères (avec citations) commentez en 5 beaux paragraphes la phrase suivante : « Breton tweetait aléatoirement. »

3) Dans un texte de 700 caractères (citations comprises) commentez brièvement en 5 paragraphes la phrase suivante : « Proust tweetait tôt. »

La classe se rembrunit. Les figures s'allongèrent. Un défaitisme absolu se lut sur le visage des uns, une peur panique sur celui des autres.

Soudain, un SMS agita tous les portables des élèves. « Votre DEC en 5 tweets ! 1 pour l'intro, 3 pour le nœud et 1 dernier pour la finale. »

Peu après aux infos : « Le taux de réussite au bac est phénoménal. Ne pouvant l'expliquer, le Ministère se félicite néanmoins du résultat. »

Pour parler du dernier livre paru, il copiait le lexique des termes critiques à la mode : inimitable, inclassable, inoubliable, inénarrable.

Tu maîtrisais le vocabulaire du chaos. Cela te conférait dans les débats une étrange supériorité stratégique puisque le non-sens t'habitait.

On dit qu'il parle sans rythme. C'est faux car il pose toujours avec un spasme permanent au plexus en agitant la langue preste des slameurs.

Tu prends le pouls des exodes insensés et des gazouillis éphémères. Tu en retires la majesté des entonnoirs qui condensent le flux des mots.

Mon chat s'appelle Molière. Quand il me regarde droit dans les yeux, je l'entends penser : « Tous les vices à la mode passent pour vertus. »

La moindre bêtise orthographique peut truquer le sens de l'histoire. C'est ainsi qu'un grand tata turc déclencha la fureur du Grand Atatürk.

Je joue avec les « gazous » : j'efface, je déplace, je remplace. Et n'ai pas oublié l'équivalence et le rythme ternaire : je compte : 1-2-3.

Pourquoi t'es-tu si férocement contrainte à balafrer de tes ongles l'alphabet du brutal ? Et pourquoi cette chiasse au cœur de ta grandeur ?

Même quand elle nous coagule dans un rythme lent, la poésie conteste toujours l'ordre des choses qui est de conduire le corps à ses cendres.

Souvent, dans sa dérive, le poète se ligote à des troncs turgescents. Il connaît si peu la disette du désir, lui dont la soif tresse le lit.

Par-dessus tout, j'aime la métaphore, la synecdoque, l'antithèse et l'oxymoron ; j'aime aussi les allitérations. Alors je ne m'en prive pas.

C'est sûr, ça donne parfois du gracile dans le lourd, du solide dans le mou, de l'intense dans le fugace, mais bon, qui s'en plaindra ?

La poésie ne peut plus tergiverser dans ses alliages de cartons-pâtes. Elle doit suivre le fil de l'air et continuer de cravacher la bêtise.

Avant le vernissage, il avait intitulé l'œuvre sans titre « Untitled », histoire de ne pas faire d'histoire avec une histoire sans histoire.

Assembler de minuscules unités dont la somme soit supérieure à chacune de ses parties crée une syntaxe qui est l'âme même du puzzle.

Tu as percuté violemment le sol langue première. Depuis, ton alphabet sonore saigne. Et tu ne parles que d'attaque, de détresse et de deuil.

Des mots sur les mots

La censure bannit le délire et transforme le style en minauderie. Elle scalpe les mots et rature les versions trop pures de l'intime geyser.

Je veux bien liquider prestement l'absurde de tout geste, la fissure de toute parole, l'abject de toute règle, l'outrage de toute sommation.

Quand vous n'aurez plus que vos ordonnances comme texte de chevet, vous avouerez que vivre ne fut que l'effet d'une fureur fixée au souffle.

Je vais bientôt manigancer pour que des territoires de la culture trébuchent dans l'œil des gens. J'aurai un immense réseau et de mini mots.

Nous avions résolu de créer une zone de paperasse commune. On y glissa même nos brouillons. Depuis lors, nous ne savons plus qui écrit quoi.

On souffre lorsqu'on massacre volontairement les gammes naturelles de sa langue. On souffre aussi lorsqu'on ligote des ongles dans ses mots.

Lit. Fêtes cendrées. Froissement des draps. Sucre sous l'aisselle. Hoquets du lit froid. Rythmes. Mots. Mains. Muscles. Odeur. Léchée. Crue.

Je soutiens que le marchandage du poème ou sa mise en accusation sont une ignominie. Né d'un dédale, le poème appartient à l'aurore commune.

Elle avait le génie de l'antithèse. Et on en fut tout à fait convaincu le jour où elle échangea une Préparation H contre son rouge à lèvres.

Tous les faits de discours tiennent dans une seule bouche ? Si ! Tous les motifs de silence aussi ? Bien sûr ! Alors d'où vient le vacarme ?

J'aurais aimé être une erreur. Mais non ! Je suis une donnée stable. Je file à vitesse constante. J'ai un azimut précis. Je suis impeccable.

Les idées maigres trouvent tout à fait leur place dans Twitter tant il est vrai que l'élégance passe indubitablement par un certain élagage.

Toute forme d'orgie (verbale, alimentaire, sexuelle, numérique, etc.) illustre l'étoffe de la bête collective totalement livrée à elle-même.

Ils viendront t'alourdir avec leurs propos de guimauve. Tu répliqueras avec moultes métaphores massives pour les abattre, pour les anéantir.

Nos mots sont des répertoires de bravoure et de silence. Ils sonnent en nous comme des grillons dingues qui auraient amadoué un pur vertige.

Nous observons le monde de l'art. Nous prenons nos précautions. Nous n'avançons plus sans nos radars. Nous ne marchons plus sans nos sonars.

Il tenait des discours obsessifs encombrés de synonymes. Ses phrases les plus brèves finissaient toujours par une sorte de récit circulaire.

Bien à l'abri des alphabets, tu forgeais des états de folie brute inspirés du silence, de la perfidie des regards et de l'osmose des signes.

Celui qui lit sait toujours qu'il met le nez dans une usine à sens. Autrement, il saurait aussi que le désert et le silence le larguéraient.

J'aime l'effet des mots sur les faits : je m'enfonce dans les couches d'ombre du numérique et je m'applique à casser le cours des conneries.

La langue naît lorsque qu'un poing frappe une poitrine, une table, un ballon, une dent. Et tu te demandes à quoi peut bien servir la pensée.

Quelle que soit l'humeur des marchés, la langue échappe toujours au petit jeu des spéculateurs et le mot reste la seule vraie devise stable.

Quiconque spécule sur les mots leur confère une valeur. Créer un marché des mots et les coter en Bourse ne serait pas du tout dénué de sens.

Malgré la crise financière et ses soubresauts, les cours du mot sont restés stables… Le mot est devenu ma devise, ma seule valeur refuge !

Tu aimes passionnément la ponctuation. Les , te piquent comme des hameçons. Mais ce sont les . d'orgue qui t'entraînent vers l'interminable.

C'est dans ton gosier que tu bâtis le repère des mots. La mémoire ne s'occupe que de leur stockage alors que la gorge en sculpte la carrure.

Parfois un des phonèmes purs de la cruauté plonge sa main dans le pli des souris et casse leur petite gueule et en criant : « Hi, hi, hi ! »

Les mots sont de petits radeaux qui flottent sur la langue. Ne les avalez jamais ! Mais crachez-les avec force pour que le sens éclabousse.

Un à un je trie les mots. Je fais de petits tas. Un petit tas pour les petits. Un moyen tas pour les moyens. Un gros tas pour les gros mots.

Puis je déplace du bout des doigts. Et j'ajuste, j'accouple, j'articule. Je promeus un mot fort. Je rétrograde un mot faible. Bref, j'écris.

C'est un fan fini fou de poésie, mais si poche en orthographe qu'il hésite toujours entre le « bau Beaudelaire » et le « beau Baudelaire ».

Entre le foutre et la foudre il y a le petit D de la décharge et le grand T du tonnerre. Simple opposition entre sourde et sonore, mais bon.

La voix est aussi une signature. Elle interpelle et redevient l'espace d'une fable cette belle rainure rutilante. Ne cherchez pas plus loin.

J'aimais l'art échevelé. L'art aux aisselles poilues et à la barbe qui pique. J'aimais l'art à toison drue : j'aimais l'art hirsute et velu.

J'aimais l'art sale ; j'aimais l'art brut et gras. L'art infect et sordide. J'aimais l'art quand il puait de la gueule et sentait des pieds.

J'aimais l'art qui disait non. L'art qui s'excluait des réseaux. L'art qui marquait l'envol de la matière et l'art qui glorifiait l'ombilic.

Chaque syllabe rabroue le vide. Chaque mot biffe la mort. Chaque phrase est un envol. Tintamarre de plumes pour faire l'éloge du périssable.

Si la beauté se lève en nous, qu'importe le massacre des mots. Un grognement suffit pour en transmettre la substance. Du moins, le crois-tu.

Pour apprécier la saveur des mots, choisis d'abord un mot modeste que tu pétris entre le pouce et l'index pour en façonner une petite boule.

Tu la déposes sous la langue et tu la laisses fondre comme une dragée homéopathique. N'avale surtout pas ! À la fin, tu déglutis prestement.

L'assonance annonce souvent par coups de semonce sonore que c'est le son qui s'encense et que le sens s'enfonce dans le non-sens. Ainsi ici.

Plus personne n'ose placer le vieux mot « firmament » dans un blogue. Pourtant tous dans Facebook vantent leurs « fiers moments » d'ivresse.

Il fabriquait des insultes surréalistes sur mesure. Mais jamais le typographe ne lui pardonnerait des espaces féminines après l' apostrophe.

Mes mots ont tous été la proie du délire. J'en ai sauvés quelques-uns que je propose ici, des mots passés à tabac, des mots de seconde main.

Vous ne croyez pas que mes acouphènes soient des voix modulées par un délire venu d'ailleurs. Vous pensez plutôt que je me bricole du texte.

C'est la secousse du frisson, le spasme des synapses. C'est l'œil à la rescousse de l'oreille. C'est le cœur. C'est le corps. C'est le cri !

La fiction fixe des barèmes d'acceptabilité des impostures et défend tout un système de bénéfices d'appropriation des identités imaginaires.

Vous dites avoir pleuré lorsque vous avez appris la chute des alphabets. Mais pourquoi n'avoir rien dit lorsque le chant lui s'est écroulé ?

Le sens de la métaphore

Tu avais un sens inné de la métaphore : la sueur devenait un jus de peau, tes ongles des griffes de grigri et tes seins des billes de baise.

Elle nous les cassait avec son « ça finira par mal tourner ». Mais depuis que les aiguilles bougent à rebours, elle rajeunit et se la ferme.

La lune se lève sur la nuit disloquée. Elle n'enlumine plus la voracité des monstres qui gouvernent le monde. Elle attend la fin du sablier.

Il rêvait d'une métaphore sentant fort pour nommer un parfum inspiré du vomi des poètes maudits. « Nausée des Muses » ai-je dit, c'est bon ?

Quand la rumeur tient lieu de vérité, autant se fier à la métaphore vive. Elle a au moins le mérite d'imposer la rigueur des échos du chaos.

Dans le limon collatéral de tes grandes crues de larmes, il y a ces tout petits dépôts d'espoir qui emportent le souvenir des marées noires.

L'intelligence est ton médium. Et tu t'en sers. Et tu crées des ambiances d'extase. Et tu inventes des manivelles pour expulser l'épouvante.

Hier, je trouve une pièce. Je me penche, je la ramasse. Je n'aurais pas dû. C'était un bouchon. Depuis la terre se dégonfle comme un ballon.

Tu lèves la main. Pour déployer une antenne. Tu fermes les yeux. Je sens ta transe de chaman. Je sais que tu retrouves la grâce du papillon.

Je lève la main pour signaler que je suis là. Ma main est mon signet. Je la lève. Hé ! Oh ! Vous ! Regardez ! Il y a des mots dans ma paume.

Les objets nous accueillent parfois dans leur monde. Soyons émus. Et ne disloquons pas la densité du réel au profit de la pâleur des choses.

Le sens de la métaphore

Sous le doux duvet du sommeil, un corps dirait-on tombe d'ennui et soupire. Vraiment ? Non ! C'est plutôt le cerveau qui grignote sa folie.

Les mouches noires ne s'arrêtent jamais. À midi, ce sont les frappe-à-bord qui piquent. Le soir, le cou est un rendez-vous pour les brûlots.

Les maringouins attaquent la nuit. Si vous entendez de petits moteurs stridents qui rôdent et vous rendent fous, tapez la peau de vos joues.

Si je dis que je vous aime, je m'abîme un peu l'armure. Je me plante droit dans votre collimateur. Mais pressez la détente qu'on en finisse.

Devant l'injure et l'ignominie, l'outrage n'est pas de grimacer jusqu'à la crampe, mais d'aseptiser le rictus jusqu'à la rigidité du masque.

Ai passé outre à la mécanique de l'engourdissement. J'écris dans la pénombre. Comme quoi la piste radicale du désir tarit bien des torpeurs.

Regarde sous tes pas. Il y a des horizons lumineux sculptant le revers du réel. Contacts directs avec des lombrics qui ne rouspètent jamais.

Tu t'accouplais avec la meute. Épousais sa discipline et son spleen. Balisais ta panique de ses prismes. Calfeutrais ta béance dans sa bave.

Brisés et rompus, cassés et tordus, les objets redeviennent des choses nues. Et ce d'autant plus que le regard repousse l'évidence des mots.

Routard de la nuit, dans son sang et son cri, tu as enfoui son rêve inouï. Et ta cantate abolie dans ta peau en folie, tu te sais en sursis.

La cruauté brouillonne dont tu faisais preuve enlevait tout piquant à ton harcèlement rituel pour ne devenir qu'une banale comédie de mœurs.

Ton thorax protège de toutes les tempêtes. Elles s'y sont retranchées, le temps d'un gazouillis, pour s'attaquer au fracas des catastrophes.

Lorsque tu grelottes, tu me refiles tous tes soucis. Et comme je ne sais pas quoi en faire, je grelotte à mon tour. Puis je gèle et me fige.

Twitter suggère d'équilibrer le trop geek « Je suis une donnée, partagez-moi » et le très rétro « Je ne suis pas un numéro, je suis libre ».

Il t'arrive de faire claquer le fouet dans des mots qui frétillent de folie. Et tu flagelles le sens à petite dose pour mordre et massacrer.

Vous imaginez la formidable poussée sur les os du crâne et la douleur qui s'en suivrait si jamais le cerveau en arrivait à bander décemment.

Les vitres vinrent à manquer. Alors tu eus cette idée folle de les remplacer par de la gélatine décolorée. Ainsi tu nourrissais les regards.

N'importe qui peut parapher les soubresauts et l'envol du rire. Mais rares sont ceux que l'envoûtement disloque quand l'horrible s'esclaffe.

Tu persistais à croire que les sanglots étaient une sorte de procédé œcuménique et tu te vautrais, par dévotion, dans un désespoir d'abruti.

Lisse le parcours de ta langue en moi. Je ne veux pas la râper. Ni la mordre. Ni la croquer. Mais la presser pour qu'en moi gicle du sens.

La pénombre me rassure. Tous les fantômes y sont possibles. Tous les solstices. Toutes les folies. Tous les silences. Toutes les brutalités.

Je cherchais un lieu pour la baignade des mots. Et c'est ta bouche qui convient : véritable verrière du son où baignent des flaques de sens.

Avale tout ! Avale ton regard. Avale ta peau. Avale tes joues. Avale tes lèvres et ta langue. Avale tes mots. Ton compost aura plus de prix.

La tête tout en chiffon, l'esprit tout en haillons, il mendiait des mots au coin des rues, paumes tendues, pour que les gens les y écrivent.

J'ai pris mon iPad. J'ai enfoui mon nez dans l'écran.
J'ai reniflé fort. Non vraiment, pas encore au point.
L'odeur de l'encre je veux dire.

Précisons les règles du jeu : « Tous les mots sont
acceptables, sauf le réel qui, lui, nous apparaît toujours
comme une immense imposture. »

À chaque instant nous respirons le pollen du songe. Ne
vous étonnez donc pas de nous entendre dire que nos
rêves sont des jardins de fleurs.

Je pratique une syntaxe de la pesanteur. Sous l'emprise
du ventre et des débris d'humeur, je fais du rase-mottes,
du terre-à-terre, du têtu.

Nos dettes d'expression nous ont tous acculés à la
faillite. Silences paraplégiques. Éloquence ratatinée.
Rappels des monstruosités d'usage.

La leçon foirait et le maître s'affaissait : « tweeter »
ou « twitter » ? Quelqu'un leva la main et suggéra :
« gazouiller », puis s'envola.

Il avait déposé un © sur toutes ses injures. Ainsi, quand on se faisait traiter de « face en peau de pet », on savait tous de qui ça venait.

Avec votre langue vous avez su farfouiller très loin dans la bouche de l'autre en quête du seul mot qui vous unissait et vous l'avez trouvé.

Souvent je m'attarde à l'intérieur capitonné de ta bouche pour y observer tes jeux de phonèmes. Tu vois, je guette tes trucs sonores de près.

L'absurde dérive des plis malmène nos routines d'expert. Et nous gueulons et râlons. Nous dépeçons l'animal en nous comme pour le statufier.

Et je me priverais des mots moi ? Je ferais comme si ces puissantes matrices sonores n'existaient pas ? Je me rabattrais sur le borborygme ?

Il m'arrive souvent d'éprouver la terreur du soupçon. Cette crampe qui me scie comme le doute et perturbe profondément la caravane des mots.

On n'a pas idée jusqu'à quel point le grognement des marécages correspond à l'émiettement des programmes usuels de migrations et de dérives.

Oui, j'évite les combats singuliers. Mais j'ouvre des voies héroïques dans les parages du plaisir déployé par toutes les paperasses du jour.

Les écrans tactiles proclament la mort du clic et l'euthanasie des souris. Mais ils prophétisent la revanche de l'index pointé vers le vrai.

Nous sommes amalgamés aux coupoles ascendantes des nombres parce que nulle part en amont de la nuit nous avons touché à la pénombre du sens.

Ce que tu ne sais pas, insiste et demande-le aux poulies qui manœuvrent dans les tractations du savoir. Sinon confie toute ta peine au vide.

Quels sont tes outils ? Quels sont tes oublis ? Allez ! Je sais que tu le sais, toi qui déchiffres tout lorsque l'orage lie la perte au don.

Pour construire un pont sous l'œil, il faut faire du vide. Pour piéger des parcelles de silence, il faut fabriquer du temps plein à la main.

J'ai la figure émaciée des grands grimpeurs. Je grimace. Et, au sommet du col, quand je cherche l'explication, souvent je monte en danseuse.

Je ne sais pas pourquoi, mais je dirais que, pour l'instant, ma vie a l'air d'une biscotte de soja biologique : elle fait crac sous la dent.

Tu vis aux crochets du galimatias. Le non-sens et la folie ne te troublent guère. En fait, tu as riveté ton destin au blizzard de la dérive.

Il maintenait son savoir en bouche et le faisait tournoyer comme un gargarisme. Avec des bruits de gorge, ça devenait parfaitement crédible.

J'emporte toujours dans mes bagages, où que j'aille, de bonnes provisions d'idées démentes. Cela me permet de tasser le convenu du discours.

Faire une scène

Au bar, elle t'a reconnu. Toi aussi. Mais tu l'as regardée comme une pure étrangère parce qu'elle était nue et qu'elle puait le jus de peau.

Ta mémoire est ton arsenal. Quand on t'attaque, tu ripostes illico avec des tonnes de noms, de données et de vers. Et c'est ça qui les tue !

J'ai compris que je t'insultais pour la dernière fois. «Face de pet blanc», ai-je dit. Tu es sortie au soleil. Ta peau redevenait du cuir.

Au petit jour les braises étaient tièdes. Et j'ai rallumé le feu. En soufflant dessus fort. Comme on ranime un corps qui ne veut pas mourir.

Nous allons survivre aux intempéries. Non pas celles des météos incendiaires, mais celles des typhons qui cassent la gorge quand tu gueules.

Plus rien ne glisse en moi. Mes chairs grillent dans un cratère. L'abrasion du désir. Et la pression de la matière dans la cicatrice du cri.

La beauté des catastrophes nous balafre toujours. C'est comme le souvenir du chaos, la mémoire de l'informe et l'abandon de toute certitude.

La nuit toutes les bouches sont bavardes. Tous les mensonges sont crédibles. Toutes les caresses sont sacrées en dépit du blitz des miroirs.

Tes larmes latentes masquent la frénésie des lames de fond. Et tout s'éclipse : du fourrage des inconsolées au jaillissement des gazouillis.

Le soleil pousse sur nous sa boule de cruauté. Nous nous y soumettons d'autant plus volontiers que c'est à la lumière que nous aimons obéir.

La face cachée de la lune est un leurre. D'abord la lune n'a jamais eu de jumelle à qui transmettre son miroir. Ensuite la lune est pudique.

Nous habitons la poitrine des monstres. C'est de là que nous publions le tumulte du bavardage que nous servons à l'ennemi pour le terrasser.

Remets tes vieux vêtements. Ceux avec des trous. Remets-les pour l'odeur. Et pour la forme de ton ventre que les plis ont gardée en mémoire.

Devant ton miroir, tu te saisissais à la gorge. Et tu pressais. Et tu compressais l'aorte jusqu'à ce qu'un arc-en-ciel naisse sur tes joues.

Tu cherches des poux au crépuscule : tu critiques tel ton, tu démolis telle teinte et tu trébuches du côté du ténébreux râtelier de la nuit.

La morphologie des ombilics est fascinante. Cratère de chair ou verrue concave, on hésite à en faire un ravin où noyer son chagrin d'époque.

« Superbes vos canines de cristal ! » L'embêtant, c'est qu'à la moindre morsure, elle se ramasse avec un goût de verre brisé dans la bouche.

Il venait d'ouvrir une petite boutique d'authentiques tweets classés par thèmes (1- naissance, 2- mariage, 3- décès) qu'il vendait pas cher.

Tu versifiais. Et on voyait une virgule te casser le cul comme un soc. «Ça fesse fort», disais-tu et tu rêvais du chaos comme un stratège.

Tu étais un porc. Et, pour faire plaisir à ta mère qui était une truie, tu te barbouillais avec du fangeux, du bouetteux et du jus de queue.

La forêt est comme un pubis qu'on épile. La cire chaude, le rasoir, le godendard et la tronçonneuse, un jour, finiront bien par tout tondre.

Ton regard est un piège pour l'œil. Il suffit d'y plonger pour sentir la pupille s'aplatir telle une gousse pressée sous le poids de l'étau.

«Bullseye»? «Bullshit»? Ça dépend de ta position par rapport à la bête. Ou tu la saisis par les cornes, ou tu l'attrapes par la queue.

Et je touche, je fais mouche. Ma flèche de mots stoppe le temps qui se couche et, l'espace d'un gazou, je vole quelques secondes d'éternité.

Ma gorge se serrait, bouleversée par la vague convulsive des envies. Attentive aux baisers aléatoires, ta bouche fouettant mes chairs crues.

« La création a besoin du vide » : il songea à sauter du 14e. « La nature a horreur du vide » : se ravisa et s'envola. C'était plus naturel.

« Merci d'accepter la mission. Choisissez votre arme. Soyez féroce et fou. N'épargnez personne. » Et l'Ange Exterminateur brandit une vague.

Votre identité vous pèse, votre image vous mutile ? Désolé ! Impossible d'échapper à Google : ses algos sont trop forts et vous, si vantard.

Rougir de honte, verdir de peur, bleuir en suffoquant, jaunir crispé sous la crampe hépatique : l'arc-en-ciel souffre dans ta pauvre figure.

Google ment vous dis-je ! Malgré toute sa bonne volonté, Google crée des écosystèmes de données truffés d'erreurs, de menteries, de non-dit…

Ce n'est pas vrai ! Google ne ment jamais ! Google ratisse, scrute, fore, interpelle, fouille et furète, mais jamais il ne manigance jamais.

Vous avez raison, Google ne ment jamais : il dissimule, masque et maquille. Ce qu'il révèle est bien peu en comparaison de ce qu'il tait.

D'accord ! Mais si tout se sait, comment expliquer alors l'arnaque, la fraude, le déni, la collusion, l'imposture et la soumission iniques ?

Féru d'orthographe et fan fou fini des règles, le N devant le B deviendrait un M. « Istanbul » est donc une faute qu'Istambul (sic) corrige.

– Avant c'était plus simple. – Quand, avant ? – Avant Twitter, voyons. – Pourquoi ? – Parce qu'avant Twitter, on pouvait garder des secrets.

En faisant du lèche-vitrine au sommet des nécropoles, les échassiers déplacent le regard vers les petites choses. Et ça suffit pour jubiler.

Ne soyez pas inquiets. J'aurai tôt fait de disparaître. Comme un gaz. Comme un tout petit filet de bave qu'on fouette d'un coup de langue.

Puisque la laideur est énigmatique, il faut bien dire que ton sourire est le simulacre du jour parvenant à s'extirper d'un lopin d'angoisse.

La mer s'alimente sans cesse au génie des algues et des goémons. C'est ainsi qu'elle retrouve la plage des jusants qui portent sa signature.

Parfois l'œil du paralysé plonge et s'engouffre au creux du réservoir des plaies. Là où souvent le regard crépite comme une gorge gracieuse.

Chez le coiffeur, l'âme est ce qui se laisse toucher dans le satiné du cheveu. On y palpe des vagues, des remous, des ressacs et de l'envol.

J'ai toujours haï la beauté rare. La beauté rude. Celle qui fesse. Pourtant je m'oblige encore à lui plaire et mon psy est d'accord avec ça.

Non, disais-tu indignée, non ! Pas encore une autre mesure pour taxer le délire. Pas une autre frontière pour baliser le flegme du gangrené.

Les lucioles épaississent la texture des buvards et du bruit pour permettre aux souffrances de se raturer seules dans le silence et l'oubli.

« Les hommes sont bas de gamme par défaut », disait-il. « Certains sont porteurs d'eau. D'autres ont de petits budgets et sont sans rêves. »

J'ai rassemblé quelques mots pour leur adresser la parole. Ils sont tout surpris de voir qu'on les méprise et qu'on les traîne dans la boue.

Un spectateur picosse dans le dos d'un mime muet en le chatouillant. Celui-ci riposte en tordant la bouche et en imitant des labio-dentales.

J'avance avec des jumelles aux yeux. Tes doigts sur ma langue. Pour goûter les mots tatoués sur l'ongle. Et pour baiser l'aube sous l'index.

On venait d'abolir le papier. Et, pour ne rien perdre de leur lexique, les gens s'étaient auto-tatoués des mots sur le corps. C'était joli !

Le jour où je photographierai la nuit, j'exposerai des clichés noirs. La nuit où je photographierai le jour, j'en tirerai une photo blanche.

Le FF rappelle le must des egos égarés dans le fil. Ainsi les anonymes sortent du flux et leur sourire est celui d'un cerveau qui se saoule.

Il avait une fâcheuse habitude et ça lui nuisait pour l'expansion de son réseau social. Il s'approchait des inconnus et leur mordait le nez.

En marchant, j'ai mis le pied sur mon ombre. J'ai trébuché, ma tête donnant violemment contre le sol. Et j'ai vu des étoiles. En plein jour.

Il conjurait opiniâtrement le mauvais sort en expliquant dare-dare la limite de toutes conjectures en matière de catastrophes individuelles.

Par une série de consignes neuronales implacables, il forçait sa langue à rouler de façon telle qu'elle stimulait le « R » des catastrophes.

Je souhaite respirer dans le cœur des bêtes adorées. Comme les enfants. Comme les ravageurs de sérieux. M'enfouir dans le souffle des bêtes.

Non ! Nous ne pourrons pas toujours évaluer la qualité des ressacs, analyser leur potentiel de dérive ou en révéler les indices de fluidité.

Un ami m'écrit : « La mer me garroche des seaux d'eau ! » Je l'imagine visiblement tout détrempé et Neptune, debout, un vase vide à la main.

Fana de l'étriqué, elle se rabattait pourtant sur de très longs adjectifs : conventionnel, conflictuel et conditionnel étaient ses préférés.

Elle avait une soif! Elle déglutissait tout: l'affolé, le diffus, le neutre, le prolixe, le leste, le véloce et même l'ancien et l'anodin.

Insatiable, elle avalait tout: les liquides, les solides, le mou, le touffu, le visqueux, le glaireux, le sirupeux, le dodu, le dur, tout!

Dans un très banal petit cercle d'initiés ordinaires on posait de futiles questions auxquelles on répondait avec méticulosité et exactitude.

Il aimait les «refrains niais» et les «rythmes naïfs». J'aimais les idiots. Ceux des villages. Car c'est de là qu'ils dominent le monde.

Et c'est seulement parce qu'il n'arrivait pas à décrire nettement l'ovale excessivement félin de leurs yeux bridés qu'on le traitait de fou.

Les étoiles portaient des plaies béantes. Nous les fixions dans nos lunettes et ne pouvions nous empêcher de penser que l'univers souffrait.

Qu'ai-je vraiment besoin de savoir de mes os ? De leur ténacité à persister ? De leur orgueil de savoir qu'ils seront mon image définitive ?

Lorsque le marchand de sable s'avancera sur les plaines, ne vous méprenez pas ; ce n'est pas un colosse aux pieds d'argile : c'est un titan.

Les fumées magiques avançaient en troupeau. Cela nous faisait bien rire d'autant que le ciel se tapissait de glu jusqu'au cœur des couleurs.

Ne fixe jamais le regard du chat sans jamais te demander si tu n'es pas en train de franchir quelque frontière tabou. Car sa griffe griffe !

Au dessert, il n'y avait rien. Alors ils parlèrent de gavage épistémologique, de surdose cognitive, de satiété structurale et de… Twitter.

Il forgeait des phrases fameuses. Il tâtait du paradoxe et de l'antithèse : «L'amitié c'est ce qui arrive quand on est distrait en amour.»

Toi

J'aime les femmes au petit gabarit. Et leurs doigts délicats pour des caresses furtives. Je les préfère de loin aux grandes femelles jaunes.

Tu ne lâchais jamais. Tu as sorti tes ultimes cartouches : « À l'attaque ! » as-tu crié. Et tu m'as assailli avec tes chatouilles d'orteils.

J'ai programmé un algorithme qui à coup sûr active ton sourire. Alors quelle que soit ton humeur, je finis toujours par t'imposer un rictus.

Tu poses ta main sur ma peau comme un signet. Tu indiques du sens. Je faiblis, délesté du regard de ta nuit, signalé dans ta marge de satin.

Je dois me concentrer sur le décryptage des hiéroglyphes serrés que tu te tatoues sur la peau. Sinon, tu me deviendras totalement étrangère.

Ton regard polarise la grotesque solitude de tes décombres. Allez ! Tu ne saurais sombrer si facilement si près du jour et de ses complices.

La météo fait ses gammes avec ton humeur. On dirait bien un anticyclone. T'as le beau temps étampé dans ta face. Tu souris. Ça fait du bien.

Au marché des peaux, tu mis tes seins aux enchères et ce n'était pas assez : tu devais bonifier le lot. Alors tu ajoutas la peau de ton cul.

Ah ! Ma soumise, ma dormeuse. Toi qui explores la terrasse aux dix mille torches, laisse flotter l'ivresse et l'ennui, juste avant la neige.

Au coin de son œil s'entassaient des murmures. On aurait dit les accalmies d'un bonheur sombre. Un silence aveugle enfin illuminait ta voix.

Tu n'accordais pas souvent d'entrevues. Mais un matin, tu t'es levée tôt et tu t'es adressée à la galerie des terreurs pour leur dire adieu.

La contrebande des mots était devenue une activité très lucrative. Alors tu t'installas dehors et les vendais sous le manteau pour pas cher.

La douleur t'avait quittée. Tu t'es crue morte. Pour guérir, pour souffrir à nouveau dans tes mots, tu t'es mise à tirer fort sur ta langue.

Par prudence, tu t'entoures de barbelés de cristal et confies au givre le soin de les illuminer. Alors je peux ainsi t'approcher à ton insu.

Pour chasser tes drôles de gibiers, tu avais un tas de pièges : des pièges à mots, des pièges à magie et des pièges pour traquer la douleur.

Rien ne t'effarouchait. Rien ! Ni le bac de braises dans lequel tu plongeais les poings. Ni les parfums du ventre qui te fouettaient le nez.

Ta respiration me colle au tapis. Tu es si intense, si compacte que rien ne permet de croire que le futile se soit faufilé dans ton souffle.

Tu aimes toujours t'engouffrer dans le tunnel de l'insolence. Tu prends ainsi ta revanche sur les masques et sur la réciprocité des miroirs.

J'étire la peau de ton cou. Pour lisser les plis du temps. Bien entendu tu hurles. Mais qui a dit que la beauté n'était pas d'abord un cri ?

Je conserve très peu de souvenirs de toi. Non que la mémoire flanche. Mais c'est que désormais j'extrais volontiers le faste du négligeable.

Dans ce que tu cherches, il y a une part de désert et une parcelle d'eau pure. À toi d'en baliser la mesure et d'en cadastrer l'outrage las.

Ne saura-t-on jamais pourquoi tu t'es mise à grappiller de tes ongles l'alphabet des exactions ? Pourquoi cette bouse au cœur de ta beauté ?

Sur la route épicée de ta peau, un constat. Toujours le même. Le sel domine. Les ancrages du poil se fracassent. Le rêve s'abreuve de sueur.

La solitude est la discipline de l'ennui. Une sorte de dérive dans ton décolleté. Un râle temporaire. Une ombre en effraction dans ton œil.

Je me suis toujours fié au relief de ta peau pour prédire la transe et le frisson. C'est précisément cette lecture que le maquillage masque.

Quand on dit du sexe des femmes que c'est une « serrure », est-ce parce que tu en possèdes la clef ou parce que ses charmes te sont fermés ?

Dans tes artères circule un sang de sirène. Tu peux ainsi respirer en milieu liquide et plonger profondément sous ma peau comme un vivaneau.

Nous avions de l'élégance et nous aimions nous comparer aux astres. Nos surnoms, ma belle Bételgeuse, n'étaient-ils pas des noms d'étoiles ?

Dans ta tête, tournoient constamment ces images qui anticipent le parcours des prédictions secrètes du dégoût. Comment peux-tu vivre ainsi ?

Avant de lécher toutes chairs dans la nuit, tu attends un signe. Et quand le frisson mince des peaux renifle tes os secs, tu pars en chasse.

Au cœur de ta névrose, il y a cette passion candide qui t'enveloppe de délire et de sagesse. Ta singularité n'a jamais cessé de nous défier.

Ta lenteur décrète en moi cette furtive réserve du rythme qui sied bien aux intervalles. Syncope des secondes pour un effondrement du temps.

Une étiquette détrempée pend au bord de ta lèvre. Froissée. Saturée de salive. Elle expose le prix des mots que tu n'as jamais su prononcer.

Tu as livré ta langue à une minuscule cohorte de minables aux idées mortes. Depuis tu crachotes des mots gris comme un phtisique à l'agonie.

Ta ruse bégaie comme une plaie. Ta pensée rebrousse chemin sur le terrain des métamorphoses. Tu ne crois plus à la magie dorée des abeilles.

J'ai tout essayé : les bisous, les mots doux, les bijoux. Au moment de me quitter, tu me dis : « Moi, c'est l'indifférence qui me branche. »

De petits fils pendent de tes paupières. Ce sont tes cils nouant des bouts de ciels tombant sur tes joues. On dirait des pans de beau temps.

Chaque lettre a une histoire qui nourrit la vie de ton nom. Ton nom, c'est ta mémoire qui fuse au-delà du frivole comme une fable plausible.

Qu'est-ce que ce ronflement quand tu jouis ? Et cette toux qui scande le flux de ton haleine fétide dans le solstice, c'est quoi ? Un râle ?

Si tu as toujours ton jériboire de grand visage de catastrophe d'affiché dans ta face, c'est que tu passes tous tes sourires en contrebande.

Tu avais appris à devenir une île flottante et pour maximiser le plaisir de ta dérive, il t'arrivait parfois de sortir nue, sans ton iPhone.

Ta fragilité est celle-là même du froid. Au moindre choc ton œil feule, ta rage s'effrite et tu voles en éclats, comme une poupée de terre.

Tu as cru que j'allais te broyer jusqu'à la poudre de l'être. Non ! Tu vois, je t'ai poursuivie jusqu'à l'inconcevable densité de ta sphère.

Ton plexus solitaire, une plage illisible. J'ai beau y caser des contre-jours à déchiffrer, je n'y détecte que des nuits blanches à ramoner.

Et je n'ose même pas parler de toutes ces humeurs qui s'embourbent comme un brouillard salace, là, dans l'humus obscène de ton petit pelage.

Tes défaillances l'emportent sur l'habitude et l'oubli parce que les coloris du jour sont minables et que s'éternise la mollesse des masses.

Quand la mer s'abîme dans ses vagues, ton œil tangue et trébuche. Petite perte de plus où mes mains molles glissent sur ton ventre de limon.

Tu grelottes sans même pouvoir refroidir le claquement de tes dents. Tu es secouée comme un spasme de graminée. Un tressaillement d'étoiles.

Tu crois vraiment que ta volupté peut bannir le vide de ta vie ? J'imagine aussi que tu crois que l'écriture peut aussi culbuter la bêtise ?

J'ai englouti sous ta langue un ou deux secrets. Ce sont des paroles de secours. Si jamais un ciel lourd et bas te tyrannise, recrache-les !

Dans le cerveau, il y a une zone contrôlant la perversité des horaires. Cela expliquerait sans doute l'énigmatique placidité de tes retards.

Immobile, tu chevauchais la fierté de tous nos doutes. Et tu les transformais volontiers en prestige lorsque tu les frictionnais d'euphorie.

Que cherches-tu en t'agitant entre le monde vagissant des embryons et la misérable tenue des politesses politiciennes ? La nausée peut-être.

À très grande échelle, Google Map est exceptionnellement nul et erre : impossible de m'y retrouver dans le labyrinthe des lignes de ta main.

Tu t'es mise à zézayer. Puis à zozoter. Une coquetterie de langue, disais-tu. Puis tu fis école. Et tous tes chouchis chéclipchèrent illico.

Aurais-tu pu décider d'une autre prouesse que celle de te lancer nue et à corps perdu dans le raccommodage des moulins et des arcs-en-ciel ?

Tu me fais l'effet d'une glaneuse dans les boues de l'extase. En extorquant des caresses, tu extorquais des secrets aux épisodes de la mort.

Ton manège était devenu un rituel inespéré. En caressant distraitement des carcasses tu ennoblissais machinalement la peste et ses vertiges.

Tu m'as dit : « Souris. Ouvre. Écarte. Encore. Grand. Plus grand. Cède ta bouche. » Et tu t'es mise à fouiner dans mon râtelier de phonèmes.

Tu me quittes. Tu retournes dans ton regard. Au cœur du temps. Là où tes yeux égratignent le visible. Là où tremblent les mains des enfants.

Tu tangues et la mer taille ses tempêtes. Sur tes flancs, ses lames burinent le registre de tes identités. Une écume. Un ressac. Une bruine.

Tu étais une acrobate du frisson. Tu tressaillais en volutes sveltes, tu virevoltais en cascades symétriques, tu vibrais infinitésimalement.

J'aimais bien ramollir dans ton haleine de térébenthine. Ça décapait l'émail de mes dents et mon sourire javellisait l'obscénité du pouvoir.

Souvent il m'arrive de louper mes insultes. Quand je t'ai traitée de « fossile », tu as compris « faux cil » et tu as cru à une gentillesse.

Tu sévis comme une rebelle dans la durée. Matant le jour. Mimant d'outrageuses pantomimes à l'endroit des gens qui n'existent qu'à l'envers.

Ton décolleté déclenche le vertige : 1) il propose une plongée ; 2) il fraye vers le vide et l'infini et 3) il semble ne jamais se contenir.

Ton souffle sur mes lèvres siffle. Il fait tout chaud dans ma langue quand tu parles. Dans ma bouche, je t'écoute à travers les os du crâne.

Tu as les humeurs navigables. Je ne crains pas les hauts-fonds de tes rages ni les récifs de ta folie. Nous sombrons ligotés l'un à l'autre.

Tu étais tout à la fois : belle et canaille et joyeuse et lubrique, tu étais parfaite ! Mais tu aimais beaucoup trop les langues étrangères.

Sois patiente. La lenteur te va mieux que la foudre ou la brusque accélération. C'est la morsure du doute qui freine le baiser de ta fureur.

Toute caresse récursive requiert une apnée du désir. C'est ce que je perçois dans la sueur qui exaspère l'odeur de la rouille dans ton slip.

Ose ! Ose te sacrifier ! Ose te scarifier ! Ose t'égratigner la langue ! Ose te marteler les tempes ! Ose te raboter la peau ! Allez ! Ose !

Allez crache ! Je sais moi que tes noces cachent des crimes inimaginables. Allez ! Avoue ta secrète passion pour la mitraille des épingles !

Je t'avais serrée si fort que tu en avais rapporté des stigmates incandescents. J'expliquai au juge qu'il s'agissait d'un bijou dernier cri.

Les bougies tenaient bon et ne semblaient jamais vouloir s'épuiser. Et c'est ça qui donnait à l'ombre puis à ta nuit des allures d'éternité.

Tu t'es recroquevillée quelque part en moi, en pure contrebande. Quelque part entre ma fragilité et mon arrogance pour mater mes insolences.

Accroche-toi ! Jamais je ne te laisserai tomber : je puiserai dans tes rêves ce peu d'espace qu'il faut au temps pour fracasser ta solitude.

Dans un fol envol, je mordis ta lèvre inférieure. Mal m'en prit car, depuis ce temps, un mauvais goût de collagène me traîne dans la bouche.

Par beau temps, tu as appris à détacher ton ombre de ton corps opaque. Je te saisis au vol, en équilibre entre ta mémoire et mon excitation.

Tu es si regroupée en toi-même, tu es si dense, si compacte, si précise en ta parole concise que tu sues, suintes et pues l'être de partout.

Tu vis là, dans mon labyrinthe, désespérément rivée à ta pudeur. Je t'aimais mieux jadis altière et infidèle. Tu avais alors plus de classe.

Ah ma coquine ! Ton simulacre de convalescence était si parfait qu'on a tous cru te voir revenir du trépas. Mais tu t'éveillais, simplement.

Ta tête d'épouvantail est la sentinelle du jour. C'est elle qui prescrit ta préférence pour le quotidien des objets que tu ligotes au temps.

Tu m'invites encore à me porter aux commandes de ton rire dont la dérive est si bruyante. Mais je préfère toujours le fracas de ton absence.

Zone oblique du temps, grimaces sous l'aisselle, torsion, balise du sperme, manigance du souffle, je m'agrippe à la fable de tes plis, cris.

Ton visage de déesse travestie accapare toutes les ressources du scalpel et du laser. Et tu t'injectes de la beauté jusqu'à la boursouflure.

En cédant ta rigueur aux fumées ankylosantes du fatras, tu t'es jointe aux zones de failles où l'esprit trébuche sur des énigmes aléatoires.

Ton misérable regard de maraudeuse me massacre. N'as-tu donc jamais compris qu'un seul nœud dans tes cils suffisait à kidnapper la lumière ?

Quand j'approche l'oreille, l'écho de tes soubresauts me ramène au cœur de tes litanies, ces prières futiles, ratées, nulles et non avenues.

En panne de toi, je quêtais des caresses de secours.
Car tes mains mortes, agrippées à des lambeaux de
tournesols disséqués, pendouillaient.

Je te l'avais dit : « Il ne suffit pas de lancer des fils entre
nous ; encore faut-il les nouer. » D'où cette épissure
fine qui nous sangle.

Je ne retiens de toi que cette image de widget terrifié :
les yeux suspendus aux traîtrises de la nuit et le reste,
ma foi, pompant du sens.

Dans ton gosier, racle tous les proverbes. Remue la
sagesse. Brassouille les anciens mots. Culbute les
codes. Et pour finir, baise les lois.

Quand j'eus compris que ton œil était un amphithéâtre,
j'interrompis toute pratique discursive pour m'atteler
à ton projet d'air et d'abîme.

Je t'ordonne d'être heureuse. Je te condamne au
bonheur. Tu n'as plus le choix. S'apitoyer n'est plus
possible. Hé ! Ho ! Hop ! Au bonheur !

Ta tête aux allures d'affiche, ton dos de dazibao et ta stature de colossale colonne Morris auraient bâti ta notoriété de commère chronique.

Tu combinais grain de sable et grain de beauté. Et, lorsque tu substituas l'un à l'autre, on comprit tout de la texture abrasive de ta peau.

Tes paumes portent des refrains à mains nues. Des notes glissent des gerçures de tes doigts. Signe que tout ce qui vibre passe par le temps.

Je m'enlise dans la gelée permanente de tes paupières. J'y vis agité au rythme de leurs battements lents qui débitent l'alphabet du visible.

Mes mains à l'approche de tes cheveux. Cueillette des framboises à genoux. Un ciel poursuivi par l'orage. Et mes lèvres en rupture de stock.

Dans le quartier glamour de l'inénarrable, tu louais des sentiments au mètre carré. Cela justifiait ton mutisme et ton snobisme asymétrique.

Tu promenais à bout de bras des cargaisons de chairs de poule arrachées au derme des frileuses. Puis tu les rissolais dans l'huile et l'ail.

Ton sourire abîmé repousse la limite des baves et de la pudeur. Et ça me va. J'ai déjà trop souffert des perfections de ta beauté numérique.

L'arme avec laquelle tu menaces fait bien rire. Car nous savons tous que ce sont strictement les mouches que ton poing maintient à distance.

Ce n'était pas ta mémoire qui déraillait, c'était ton jugement qui délirait. Ainsi tu plongeais, malgré toi, dans le sommeil des girouettes.

J'aime bien ta stratégie d'errance dans la foule. On dirait que tu y mimes un anonymat sélectif déjouant ainsi toutes les intrigues du lieu.

Tu grelottes comme une déesse sans repos et ça m'intrigue. Il n'y a plus de lianes qui pendent à ton cou et ça me précipite dans les ronces.

Ce qui s'éclipse en toi, ce sont les lamelles du désir qui découpaient tes chairs. Tu as sacrifié ce bonheur pour les textes que tu tweetes.

Économes dans la rumeur, tes yeux seuls parlaient. Ton fracas, visible dans ton regard, révélait la majesté des secousses qui te décimaient.

Ta nuque, ses plis, l'aube de ton cou, le carnage de tes dents, ta gueule qui bave. Et moi à genoux, presque soumis, pour l'ultime massacre.

Cette tension tenace dans ton cou trace les thèmes de l'exil d'une façon si nette qu'on croirait y voir des poulpes suçant ta solitude même.

Je te harcèle, crois-tu. Mais que sais-tu du cyclone qui me démembre le ventre ? Naïve va, ils seraient pour toi ces injures et ces jurons ?

Il n'y a jamais eu de paille dans ton œil, mais bien une poutre. Une poutre de chêne où se déchaîne la frénésie des exaltations domestiques.

J'aime bien la rigueur de ta soif. Elle s'étale sous ta langue comme un appel du sens et du bruit. Cela te gonfle de prestige et de majesté.

J'entends toujours sous tes aisselles grésiller ces mots venus du dedans de tes os. C'est donc à l'attache de l'épaule que ta stature parle.

Est-ce un labyrinthe, là, au fond de ton œil ? N'est-ce pas plutôt la carte mère de tes névroses qui prophétise la trajectoire de ta folie ?

Je veux bien voir l'acuité véritable de ton œil : pendant ton sommeil, je soulève tes paupières. J'y devine des ombres, un théâtre, l'ennui.

Tu sais étirer la dynamique de l'instant. C'est ce savoir-faire qui libelle ta passion pour le quotidien des objets que tu ligotes au temps.

Quand tu regardes un paysage, tu poses un signet sur le réel. Toute parole redevient possible puisque la lumière enfin assombrit ta déroute.

Ta tête aux allures d'affiche, ton dos de dazibao et ta stature de colossale colonne Morris auraient bâti ta notoriété de commère chronique.

Tes somnifères règnent sur tout : la grâce, la civilité, les débats avec les bêtes, tout ! À croire que les états de veille ne valent rien !

Tu avais tellement bu que tout partait à la dérive. Tu passais pour un territoire inondé. J'ai même épié des souvenirs flottant sur ta peau.

J'ai toujours faibli devant ta force. Il y a maintenant plusieurs années déjà que, chaque jour à l'aurore, la lumière se traîne à tes pieds.

Tu avais tout baissé : la tête, les yeux, les épaules, les bras. Pour compléter le tableau, il te fallait tout bonnement baisser les stores.

En remuant, ta langue lacérée s'impatiente dans la douleur. Elle espère reprendre à la nuit son patrimoine de plaintes et de plaies sonores.

À la fin, je t'ai transportée sur un brancard de nacre. Et tu m'as supplié : « Pas le séjour des arènes. Plus jamais la cage des vitrines. »

La mort s'est faufilée dans ton CV. Tu t'es plainte à la vie qui t'a envoyée chier. Alors tu as tout essayé : le vin, le chocolat, la messe.

Ta tête entre tes mains. Un mal assis dans ton crâne. Se berce. En heurtant les parois. Tu délires. Tu as la figure d'un masque flou. Tordu.

D'ordinaire, nous sommes nus sous nos vêtements. Mais l'inverse n'est pas vrai. Alors pourquoi tout ce branle-bas sous tes dessous coquins ?

Pendant que tu dormais, j'auscultais ta dérive. Tu voyageais à tes frais aux confins de toi-même, perdue dans le labyrinthe du lit limoneux.

Nous sommes peau à peau devenus ce que nous n'étions pas. Et depuis peu, nous sommes tous les deux en quête de ce que nous ne serons jamais.

Les beaux draps

Le bonheur est un fil décousu qui traîne négligemment sur la manche des beaux habits. Quand il dépasse trop, on le coupe. Allez, bon match !

L'amour a ses petits muscles fétiches. L'imaginaire aussi d'ailleurs. Les uns sont télescopiques tandis que les autres sont stroboscopiques.

L'amour s'assèche parfois comme une magouille de tire-lait ou comme une manœuvre de casse-pipe qui t'essorent encore plus sec que les dunes.

« Chérie, aurions-vous fait l'amour à notre insu hier soir ? » La psy signala une forme sévère de distraction morbide, mais pas d'Alzheimer.

À tâtons dans la nuit, n'as-tu jamais éprouvé le plaisir trouble des caresses anonymes ? Et maintenant que tu sais qui te touche, jouis-tu ?

La femme de ma vie me supportait déjà difficilement. Alors, quand je lui ai dit : « Mon amie, je tweete à ton cou », ce fut la fin, hélas…

Toujours prêts à promouvoir leur pénétrant libertinage, Gland numérique et Chatte virtuelle baisent sur le Net, fidèles à leur totem coquin.

À la clinique du planning, on leur proposa le retrait préventif, la capote et le mutisme. On le sait, les mots fécondent plus que le sperme.

La petite culotte nuptiale ne badine pas avec l'amour. Elle se laisse prendre d'assaut comme si tout ça, ça n'était finalement rien que ça !

La femme de ma vie (à qui j'expliquais le fonctionnement de Twitter) me dit : « Il y a tout de même une limite à extraire le jus des mots. »

Mon érection prend du galon ! Évidemment le dire sur Twitter c'est s'exposer à la risée. Mais le susurrer dans l'oreille de sa blonde, hum !

Repus et gavé de glaires, je me glisse à tes flancs doux et pousse un petit rot. Tu souris. Et je griffonne nonchalamment, comme d'habitude.

Il m'arrive au lit de confondre le sommeil et les états de veille. « Est-il vrai chérie que cette nuit, nous avons baisé comme des bêtes ? »

Le magnétisme des frissons stimule tout : le libertinage des clins d'œil, le tourbillon des chairs de poule et la magie des essoufflements.

Quand j'ai pénétré dans ta chambre, j'ai eu l'espoir fou d'y avoir été invité pour baiser. Mais ce n'était, hélas, que pour lire tes tweets.

Délicatement, j'ai soulevé ta robe. Comme on tasse un rideau. Juste pour voir. Pour épier le mystère derrière l'étoffe de ta culotte intime.

Dans tes cuisses, il y a ce foutu ballast qui t'empêche de bondir comme une ballerine. Ce n'est pas grave t'ai-je dit, nous ferons ça assis.

À la Saint-Valentin, il la laissait toujours monter sur le lit en catimini et coller ses orteils tout froids contre ses mollets tout chauds.

Quand je colle ton corps, c'est pour le lécher de long en large, de haut en bas et tout partout. J'avance, je tends la langue et je déguste.

Ancien lutteur, il abordait toutes ses batailles de baise avec la volonté d'en finir rapidement, rigoureusement, avec classe et gourmandise.

Bonne Saint-Valentin vous, mes belles âmes. Allez, à mon signal : 1, 2, 3 go, top chrono ! Tout le monde tout nu et on baise dans l'obscur !

Elle m'a dit : « mon beau twitteur ». J'ai encaissé le coup ; j'ai plié les genoux comme Marcel quand Édith susurrait : « mon beau boxeur ».

Concernant la perversion, j'ai constamment visé la perfection dans mes tweets. C'est pourquoi j'ai pu visiter le vaste vestibule des vulves.

La dureté de l'os s'adapte mal aux plaidoyers empêtrés de velours. Quand je bande, jamais je ne parle d'amour. J'endure tout et je la ferme.

Même si ses seins chétifs avaient l'air de mini billes, ils étaient translucides. Ce qui laissait voir son cœur énorme qui battait derrière.

Même si ses énormes seins avaient l'air de gros ballons, ils étaient transparents. Ce qui laissait voir son petit cœur derrière qui battait.

Le viol apparaît toujours comme une des formes pathologiques du désir alors qu'une drague débridée se présente comme sa métonymie délirante.

Ton sexe faisait office de regard. Du moins quand je le dévisageais de trop près, il semblait m'observer avec curiosité, lassitude et ennui.

Il voyait tout en 140. Et, à la question : « Quel est votre instant fétiche en amour ? », il répondit : « C'est quand je sens qu'a rentre. »

La passion altère la tiédeur et le mièvre. Elle presse le jus du désir jusqu'au débordement, jusqu'à l'exploit, jusqu'à la certitude du cri.

Je torche les restes de ma passion qui s'effiloche. Et, à la fin de la nuit, je m'abrutis. Petit. Comme un condom qu'on jette en bas du lit.

Je voulais te caresser et te pétrir doucement avec ma main de vilebrequin. Mais tu la trouvais trop indiscrète, trop profondément fouineuse.

Tu m'as demandé de devenir modeste et je me suis fait tout petit. Depuis je ne cesse de m'engouffrer en m'enfonçant dans ton ombilic mobile.

Pour échapper aux petits pelotages des quidams du métro, tu t'es recroquevillée en toi-même, sous ta carapace caverneuse, à demi folle. Nue.

Tu me branles à l'échelle de Richter. Je te suce à l'échelle de Saffir-Simpson. Et nous baisons tous deux dans la torride échelle de Kelvin.

Le lecteur de Houellebecq est souvent le connaisseur des belles fourrures qui tapissent les cuisses des filles qui fument près des pissoirs.

En te réfugiant dans le noir, tu crois faire de l'ombre à l'ombre et tu crois que la chute est ton seul point d'équilibre. Mais il y a pire.

Tu hais mes mimiques. « Tu es du côté de l'esthétique des monstres » dis-tu. Mais je n'y suis pour rien chérie, je suis naturellement moche.

Dans son blogue, il tenait absolument à affirmer la suprématie de la volupté sur le désir : ce qui le confinait à l'onanisme le plus strict.

À l'heure de l'amour, ce sont les minutes qui comptent. Certains pensent même que des secondes toutes minuscules auraient un poids d'extase.

Sa maîtrise du plaisir était étonnante. Jetant son cartable et ses constellations, il s'effarouchait dans les teintes diffuses du demi-jour.

Rien de plus chaotique que l'alarme déclenchée par un condom déchiré. Mais que dire de ce pincement paniqué qui colle au ventre des amants ?

Puis tu reviens à la nuit et tu glisses sur le temps du monde comme si ce trou qui gît dans ton ventre chantait l'absolue futilité du désir.

Je savais que tous tes tremblements s'adapteraient instantanément à la température moite de mes mains ; et je ponçais tous tes plis de peau.

Ce que tu recherches dans l'extase du cul, c'est la fierté du ramoneur moins la suie sur les joues. Et quand tu jouis, tu fertilises le feu.

Que fais-tu là blottie dans mon angle mort ? Allez bouge ! Devant. Derrière. Bouge ! Mais ne reste pas comme ça, immobile entre deux baises.

Le soupir incandescent des cils confirme la thèse du « regard de feu » observé chez nombre de femelles. Un seul clin d'œil et nous flambons.

Naguère l'utérus était en vogue et la Vénus de Willendorf était une star. Et maintenant que c'est plus couillu les femmes n'ont plus de cul.

J'aurais pu m'assoir sur ton thorax. Y planter mon regard comme un pieu. Mais j'ai préféré le désert qui grésille dans toute pierre et fuir.

Suce mon zob, ma braguette, mon zizi, ma bite, ma queue, ma quéquette… Mais ma cigarette ? Où diable sont passées les métaphores d'antan ?

Elle me travaillait au corps avec des mots contigus. C'était inhabituel. Je la laissais faire même en sachant que ma douleur allait croître.

Le sexe est si simple. Sortez la langue, puis léchez ! Certains aimeraient bien sucer, mais bon, les modes d'emploi ne sont jamais parfaits.

Le sexe est l'empire du sel. Le sexe ça sent le sel. Pas le sirop ou le suçon. Le sexe c'est la mer. L'algue. La moule. L'huître. La gonade.

Je ne sais pas trop quoi faire avec les irruptions du bonheur. Mais quand je le sens, quand il m'habite, c'est ma bite qui rigole en secret.

Tes lèvres, ces coussins pour le repos des langues, bâillent. Ton sourire est précis : belle bataille du beau sur ta bouche quand tu baises.

Quelle est l'expression la plus tonique : a) La bouse ou la vase ? b) La baise ou le vit ? c) La brise ou le vent ? d) La bourse ou la vie ?

Les mots on le sait ont un sexe. Et quand je dis ça, je ne parle pas du genre. Je parle de la chose. Le genre est sucré. La chose est salée.

Avec de minuscules pinces, j'épile le poil des mots. Parfois je les dépoussière. Parfois je les passe au scalpel. Ça mousse leur sex-appeal.

Même si tu l'exiges, je ne te caresserai pas. Je te laisserai grelotter. Pour observer. Pour vérifier si ta transe me terrassera à mon tour.

La vie est un vrai tourniquet d'invraisemblances. En amour on banalise la rupture de stock et on devient d'ardents mercenaires du dérisoire.

Ses parties de jambe en l'air posaient surtout des défis de style : pour prendre son pied, il prenait tout au pied de la lettre et tweetait.

Le mot « fesse » est usuel, le mot « cul » est brutal, le mot « derrière » est familier, le mot « postérieur » est léché. Où est la poésie ?

Nous baiserons comme des bêtes – avec ma bite et ton con – mais avec la courtoisie des dieux – avec ma tête et ton cœur – juste pour jouir.

L'érotisme est une stratégie féminine pour ébranler la robustesse du sexe. À la carrure des érections, elle oppose la dentelle des bobettes.

Ta peau est un guet-apens qui traque des baisers. On s'y laisse prendre sans bêtise avec la discrétion des offrandes et le dynamisme du don.

Pour rouer de coups les fautes de goût ravalées par le cri, il y a sur ta peau un certain velouté qui appelle le jeu de toutes les langues.

Aux initiés du refoulé et du bain de mousse, voici une main bien chaste. Alors mordez-la ou je vous botte le cul si vous ne faites que rire.

Littéralement il bandait sur le littéral. Et s'il disait : « À soir je fais tout un branle-bas », il se prenait en main et passait à l'acte.

Je ne voulais pas écrire « ton sexe est une embuscade ». Je sais c'est cliché. Mais c'est fait. Alors je dois me dépatouiller et vivre avec.

Certains privilégient le coup de foudre. Moi je travaille les femmes au corps, par saturation de gentillesse, de sourires et de prévenances.

L'aube est une échancrure sur ta peau. Une plaie ouverte dans les graisses de la nuit. Et la vie creuse son lit dans le cahier des caresses.

Jean Anthelme Brillat-Savarin certes le savait, le sexe est une affaire de goût. Sucré si c'est une friandise. Salé si c'est une nourriture.

Ton ventre est un marécage salé. Tout y est : la soie du goémon, la vapeur des varechs et, sur ta peau saumâtre, l'iode qui gicle des pores.

Ton ventre est un marécage sucré. Tout y est : les mousses, la glisse des algues, les petits pets de méthane et la secousse des grenouilles.

Afin de tester notre fougue dans le plaisir, nous inversions le pôle des caresses et commencions tout de suite par l'hébétude et la démence.

Je savais que tous tes frissons s'adaptaient à la température moite de mes mains. Et je n'insistais pas. Même dans la lumière du petit jour.

Je fouillais partout. L'instinct. Un peu. Ta peau. Tes trésors et la brise secrète du sourire. Tes mains qui tremblent. L'absence de colère.

La beauté des équinoxes coule en toi comme si seule la fraîcheur et le modelé du jour faisaient sens, toi, accaparée par la fierté de l'été.

Le bonheur, c'est la trace de tes pas sous ma peau. Le bonheur ne tousse jamais pour confisquer un sourire. Le bonheur est toujours élégant.

Je sais vous enfiévrer dans les treillis de l'extase. Pour vous faire palpiter les tétins. Vous mijoter le corail. Vous ratisser la gerçure.

Le salaud, il visitait les bars avec son lasso. C'était pour les filles qu'il traitait comme du bétail, les ficelant et les marquant au fer.

Imaginez le reste ! Imaginez le deuil des miroirs. La suffocation des rages. La cassure des érections. La panique. Et la dérive des ratures.

Flâner le nez au vent n'est pas une lubie de girouette. C'est ma façon d'être pénétré de ton parfum bien avant que nos corps ne se touchent.

Le 14 février 1968, dans une folle flambée de ferveur, elle lui avait bel et bien mordu le gland. Les incisives avaient guillotiné le frein.

Un toubib consciencieux avait scrupuleusement tout réparé. Mais bon, rien n'y fit ce fut le divorce. On survit rarement à ses excès de zèle.

Il tripotait la console du désir en réglant avec soin les paramètres de ses orgasmes. Elle les aimait légers. Alors il ajustait ses nichons.

Il tripotait la console du désir en réglant avec soin les paramètres de ses orgasmes. Plus fort disait-elle. C'est son clito qu'il branlait.

Il tripotait la console du désir en réglant avec soin les paramètres de ses orgasmes. Voulait-elle la totale ? Il encombrait tous ses trous.

Les amitiés souterraines chuchotent. On les tient au frais jusqu'à ce que s'époumone l'amour. Après quoi on chiffonne tout et on recommence.

L'allégorie du rapt suggère que toute galanterie, toute politesse, toute courtoisie est d'abord une mise en scène de la séduction elle-même.

Je pars. Sois tranquille. On n'en saura rien. Mais prête-moi encore cet édredon tressé de tes poils. Pour m'y engloutir. Et y pleurer. Seul.

Serre les cuisses. Plus fort ! Oui ! Tu abolis le vide ! Comme ça tu recrées la tension diagonale de la raison pour le saccage des préjugés.

La canicule émascule le désir. Au relais, la rage de n'être puissant que sous la ronce. Entre tes dents, ce mâchefer à l'étal des maquettes.

Il faut sans lésiner rapatrier rapidement l'obscène dans l'intime. Sinon c'est confier au porno toute la proximité du gros plan des organes.

Entre toi et moi, il ne restait plus que le jour comme aubaine. Il y avait longtemps que la nuit s'était retirée de nos scénarios de braise.

Plus que la peau et les mots

Quelqu'un au-dessus de moi se mouche. Il est costaud.
Il pousse fort. Le mouchoir se rompt. Et me voici tout
imbibé de morve mauve et verte.

Tu glisses entre tes dents un papier que tu lisses. Ce
n'est pas si simple. Il faut beaucoup de doigté pour
qu'un dentier cède à la caresse.

Ton aisselle droite est un bled perdu qui empeste la
canicule. Ton aisselle gauche, un étang de nénuphars
exhalant le patchouli. Que faire ?

Cet homme est plus que prévoyant. Je l'ai vu stocker
des litres de salive dans de petits pots étanches en
prévision des jours de peau sèche.

À humer ta bouche de près, on devinait une grande
santé gastrique. En fait tu digérais tout : le verre, le
caoutchouc, le métal, le malheur.

Quand je vis que tes seins donnaient l'heure, je sus que je ne contemplerais jamais plus ton regard. Et depuis, je connais l'heure par cœur.

Je te trouvais parfaitement insignifiante avec ton clignement erratique des paupières. Jusqu'au jour où je compris que tu émettais du morse.

Tu grimes la peau du jour dans l'espoir de lui redonner sa candeur de lésion mâchouillée comme s'il s'agissait de casser le vide à la volée.

Dans ton corps, c'est la canicule et la surchauffe. Et pourtant tu gèles dans ton cœur, toi qui doutes encore des catastrophes climatiques.

J'avance mes ongles dans ton cerveau pour gratter la laque de tes pensées. Je les aime plutôt nues et sans fard, comme ton corps d'ailleurs.

Les vis insérées dans ton ventre donnaient du corps à ton délire. Tout se tenait. Et le fracas des mâchoires te grugeait en aval de ta nuit.

Je buvais littéralement tes paroles, de mes lèvres, sur tes lèvres, suçant les mots, la salive, que s'est-il passé ma muette, mon asséchée ?

À n'en pas douter, le bleu à l'enflure de ta peau et le rouge de tes gerçures ne sont qu'une manière muette et polie de suggérer ta douleur.

Cette moisissure fine avec laquelle tu rimelles la ligne de ton œil révèle l'aristocratie de ton regard tourné vers le glauque et le pourri.

Tel un astre mort, ton corps sombre garde toute sa lumière. Ne vois-tu pas jusqu'à quel point ton regard brille au plus profond de ta nuit ?

En titillant subtilement certaines zones impétueuses du cerveau, il déclenchait subitement une avalanche de petits moments de passion nulle.

Mon corps camoufle des cris : des acouphènes, me dit-on. Mais une question demeure : se peut-il que des monstres murmurent comme des anges ?

Son médecin était formel : « Terminé ! Vous ne banderez plus jamais de la queue ; il ne vous reste que le cerveau. » Et il se mit à sourire.

Son médecin était formel : « C'est fini ! Vous ne banderez plus jamais du cerveau ; il ne vous reste que la queue ! » Et il se mit à hennir.

Quand tu mets tes « seins » entre guillemets, c'est tout l'érotisme d'un certain corpus que tu cites. Est-ce ainsi qu'un texte prend corps ?

Ton regard ne fascine pas seulement à cause de sa ressemblance avec l'œil des grands fauves. Ton regard rugit parce qu'il égorge toute peur.

L'oiseau qui est entré dans mon oreille n'en est jamais ressorti. Depuis le médecin dit que le gazouillement qui m'afflige est un acouphène.

Le frisson fragile de tes lèvres lézarde le temps tranquille un peu comme s'il s'agissait de taguer cette paresse qui s'étire dans tes yeux.

Un jour, sans que rien ne t'y prédispose, tu t'étais réveillée avec la lèvre résineuse. 1) Ça collait à toutes les joues. 2) Ça sentait bon.

En déposant délicatement l'enclume sur ton pied, tu entrais nécessairement dans une zone d'inconfort où la douleur finirait par t'illuminer.

À genoux, mais dressé sur lui-même, au carrefour des girations nuptiales, sa langue de bavard étoilé, assoiffée d'outrages et de combustion.

Tu avais décidé de ne plus respirer normalement. Tu retenais ton air et, tout juste avant de crever, tu éructais des grumeaux de chair vive.

Tu avais quitté tes os. Bientôt tu te rendrais à la lisière de ta peau. Ton maquillage serait ta dernière frontière. Au-delà, tu serais nue.

J'aime bien rouler ma langue, la saturer de salive, la tordre, la mordiller, la contraindre au crachat et l'étirer longuement pour effrayer.

Avoir un gros cul est, de l'avis de tous, totalement inesthétique sinon condamnable ; alors qu'on s'accommode plutôt bien d'un cerveau laid.

Variante 1 : on s'indignera bien souvent des grosses fesses d'une dame alors qu'une petite tête de politicien passera tout à fait inaperçue.

Variante 2 : « Maman, pourquoi le monsieur tout chic rit de la grosse madame là ? » « Chut ! C'est pas gentil de parler ainsi du monsieur. »

Sous ta peau (que tu pomponnes partout) il y a tes os (que tu négliges un peu). Diable ! Surveille tes os ! Ils seront ton image définitive.

Il y a un problème. Les rétines bavent, les cils sombrent, les yeux cillent. L'azur est une buse. Devrions-nous passer au regard intérieur ?

Les tatouages ne sont au fond qu'une écriture sur de la viande. Quand on y pense, à une époque où le papier manque, écrivons tout sur nous !

Tu nous quittes. Tu te retrouves. Dans ton regard. Au cœur même du temps. Là où le sens troue ta certitude du réel. Entre tes mains. Mortes.

Je suis atteint d'une maladie parfaite : debout je rêve, couché je veille ; la nuit je guette tout, le jour je m'effondre dans l'improbable.

Au bout de tes mains, des horizons mauves. Bruits de la nuit engourdie. Signe que les espèces menacées rentrent en nous le soir pour dormir.

J'approche ma main. Elle glisse liquide entre deux plis de peau. Là où le sombre se tapit, là où la vérité déchiquette la certitude du jour.

En tétant jusqu'à la torpeur totale, tu suces trop fort la mœlle des os. La tête en loque et les fesses en friche. Un plâtre sur les lèvres.

Tu avais l'œil dévergondé. Mais ce n'était rien en comparaison de la lubricité de ta voix qui, sans mots, rameutait le plaisir et le stupre.

Longtemps le crépuscule a traîné sur ta peau. Et j'ai presque cru que la nuit enfin inverserait son cours et que tout repartirait à rebours.

Quand vous observez les cratères cicatrisés de votre acné juvénile, vous comprenez que la jeunesse est une maladie dont on finit par guérir.

Il y a du limon sous tes paupières et j'y plonge. Je barbote entre tes cils, ma peau sous la tienne en apnée, imbibé de ton souffle soluble.

Il avait toujours été poche en orthographe. Et il dépérissait à vue d'œil. Et pourtant, il rayonnait ! « Je suis un continent », disait-il.

Tu jongles avec tes dents. Je les vois bouger d'une gencive à l'autre. Mais ma figure préférée est celle où permutent incisives et molaires.

Ta recherche d'aliments écologiques t'a conduite à des extravagances alimentaires de surdouées : un matin, tu t'es mise à brouter du soleil.

L'espace du rêve

Le rêve approuve la rotation des labyrinthes et enseigne l'ivresse des rébus. Le vortex du sexe n'est plus alors qu'une question de routine.

Que crains-tu la nuit lorsque tu rêves ? La transe de midi ? Le poids du nid ? Les effluves du camphre ? La morve du mouchoir ? Ou le vide ?

Au crépuscule, une voix convenable et mortellement minérale gratte le roc de ses ongles. Je n'ai plus rien à embellir. Et je devrais mourir.

Pour que l'ossature du jour tremble, il faut bien que l'ombre se noie dans la nuit des langues et que la soif colmate l'agilité des poisons.

Ta tête folle danse lentement dans le pâle mouvement du labyrinthe et tes rêves s'enfoncent un peu plus dans l'ennui qui lézarde la lumière.

Ce n'est pas ton fusil que tu portais en bandoulière, mais ton œil. Le seul que tu avais ramené de tes batailles. Toujours prêt à foudroyer.

Quand tu as su que j'aimais les parfums, tu as cassé des flacons sur le sol et tu y as plongé. Évidemment, ça sentait bon, mais ça saignait.

Vous êtes à l'agonie ? Allez ! Vos papiers ! Ne résistez pas ! Soumettez-vous ! Il n'y a rien d'exquis dans votre cadavre ! Le saviez-vous ?

Au regard du rêve, la spéculation poétique est une dépense à somme nulle : ce que l'on extirpe de la nuit, quelqu'un, quelque part, le perd.

Peut-on maintenir le cap sur notre dignité alors que tout se dissout ? Peut-on encore préserver des dessalages du sort nos rêves d'alambic ?

Il était fou d'elle. Elle était folle de lui et lorsqu'ils jurèrent de « s'ouvrir leur cœur », ils n'hésitèrent pas à s'entailler le thorax.

Dans le silence, la bouche perd pied. Bâillante, elle est là à ne savoir quoi faire de cet air qui soudain lui passe au travers. Sans bruit.

Son rire de feu ne laissait derrière lui que des débris. On ne savait plus qui de la chair sucée ou du galet aurait dû prévaloir à l'aurore.

Il avait rapiécé à froid sa langue dépecée. Il l'avait cousue de fils qui pendouillaient. Mais qu'importe, ses mots vibraient toujours vifs.

Le rêveur aime franchir les limites du corps nocturne. Pour fracasser la vitrine de ses insomnies et somnoler enfin les yeux grands ouverts.

Je verrai demain si l'expression « l'héritage de la nuit » signifie quelque chose. Demain au petit jour. Lorsque je replâtrerai les étoiles.

Outre la pensée du jour, il collectionnait les pensées de la nuit. Vestiges concis d'une déroute des images que le rêve gaspille impunément.

Toutes les répulsions nous inspirent. Nous les accumulons pour les passer en revue avant de dormir. Elles améliorent les cauchemars à venir.

Je dispute des matchs de sommeil. Le stress me réveille trop tôt alors je perds. Mais je gagne constamment le prix de beauté pour les rêves.

Tu ne crois pas aux miracles. Tu ne crois à rien. Tu ne crois même pas que le fracas des tessons puisse tenir de la fête et non de l'émeute.

Ce que je ne peux pas résoudre le jour par la réflexion, je le confie au rêve. Il me suffit d'attendre la nuit pour que sombrent mes ennuis.

Le sommeil cadenasse les routines des massacres. S'il n'en était pas ainsi, nous serions tous avalés par le vacarme des tragédies rotatives.

L'œil de mon chat est un alphabet mordant où le vide étire la peau du temps. Le délire grammatical du rire se passe toujours en contrebande.

Magritte se savait inaccessible. Qu'il ouvre ou ferme les yeux, son miroir dérapait du côté de l'obscur, là où nous ne sommes plus vraiment.

Ma langue est forte comme un os. Quand je la tire, elle est raide comme une poutre. J'y monte, avance d'un pas, puis je plonge dans le réel.

Une nuit, ils ont injecté des vers dans tes oreilles. Ça grouillait comme un nœud de lombrics et ce n'était pas un corpus de chants anciens.

Tu as des yeux cachés partout. Dans ton oreille, il y a un œil. Dans ton nez, il y a des yeux et dans ta bouche, un œil surveille ta langue.

Personne ne se passionne pour le patois de la charogne en soi. Mais pour l'envol du soleil dans notre cerveau la nuit, comme par magie, si !

L'intérieur de ta tête est tapissé d'illusions difformes, fixées au crâne à l'aide d'un tournevis plat, bricolé avec le minerai des galères.

Le soir, le ciel se délecte de plaies vives. Vapeurs de la nuit et moiteur des feuilles. Les orteils dans la rosée luisent comme des ongles.

Tes dents sont des dagues d'ombre qui portent l'illusion de la blancheur. C'est rougies que je les vois, attablées aux étals des carnivores.

Il n'est que la pierre pour ravager la rigueur du jour. La pierre et l'outrage des miroirs. Le reste appartient au labyrinthe des cadastres.

Je n'ai jamais vu ça : ton rêve est solide. Il a un poids. Aïe ! Il va tomber. Merde ! Il dégringole. C'est foutu ! Tu dois tout rabibocher.

Ce n'était pas un obèse véritable. La nuit il dormait nu. Au matin, il prenait dans un placard réfrigéré une bure de graisse qu'il revêtait.

Au réveil, mon sommeil est une trace de vapeur sèche qui oscille du sensible au souhaité, sorte de secousse entre deux nébuleux soubresauts.

ppp/fff

Quand la froidure frissonne, c'est qu'il fait frette. Et quand le friselis frimasse dans la fraîcheur du froid, le frimas se fige en frasil.

Pour faire de l'esbroufe, tu formulais des phrases idiotes comme : « la bêtise s'accoquine au fla-fla ». Mais certains y croyaient vraiment.

Les parents Guay aimaient les allitérations. Ils prénommèrent leur fils Guy. Fier de son héritage, il imprima sur sa carte : Guy Guay, geek.

Ta peau rupestre, fief d'aiguilles et d'encres sèches, inspire magie et rituels. Tatouée jusqu'au bas du dos, tu promènes ta fresque svelte.

Fine, farinée, blanche, on dirait de la poudre. Un homme, agenouillé au bord d'un trottoir, une paille dans les narines, sniffe de la neige.

Après le cas des méga gras, il s'attaque maintenant au cas des maxi maigres – dont il est. Xylophoniste, il répète sur les os de son thorax.

Je suis convaincu que le fébrile bataillon des suiveux au gazouillis gracile n'attend que la censure des arcanes avant de se mettre à mugir.

J'avais dressé la liste des choses inutiles que tu appréciais : un zigzag mou, une cuiller liquéfiée, une balafre sucrée, un gazouillis dru.

La neige colle encore au fond du temps. On aurait pu croire à l'envol du paysage. Mais non ! C'est gris, grisâtre, grisou et je suis grippé.

L'horizon cutané de ta désinvolture désabusée craquelle comme des squames épars. Tout sent la peau ici tellement ton parfum se fait rare.

Vigilant, le chef des pompiers avait l'alarme à l'œil. Elle, devant la cruauté du flâneur piétinant les feuilles mortes, la larme à l'œil.

Un serpent s'enfouit la tête dans le sable et se prend pour une autruche. Un gars sort un serpent de ses shorts et croit que c'est son sexe.

Il ne comprenait rien au #FF. Il a tout essayé : Femelle Ferme, Faste Fou, French Fries, Fuck Friend, Fabuleux Foutoir, Frigidaire Frisquet.

Flatulence Fantôme, Formule Fossile, Fenêtre Floue, Fisc Fécal, Farfadet Fluorescent et il persistait à croire que le #FF était une insulte.

Ton regard engourdisseur. Ta voix de matrice athlétique. Ta gestuelle méthodique et quasi millimétrique. Tes caresses cramponnées à la nuit.

Jériboire, j'ai dit, jériboire d'ostensoir de saint-ciboire, d'hostie de viarge de câliss d'étole de saint-chrème, c'tu assez clair christ ?

À son affaire, il avait affaire à faire affaire avec qui faisait bien son affaire. C'était la bonne affaire qui le tirait souvent d'affaire.

Il y a plein de gars qui s'affalent dans la disgrâce du temps pendant que des filles agitent la tête en implorant l'immunité des midinettes.

Oui il existe, mais le grésil est en soi une anomalie. Alors que tout devrait se figer dans la rigidité du gel, voici que le froid flagosse.

Le jour aura raison de tout. Il finira par revenir avec son groove gris de lumière. Ses cris d'oiseaux grives et la marche sereine du givre.

« Fellation » et « affabulation » sont phonétiquement si près l'un l'autre qu'on hésite à ne pas les voir cohabiter dans la bouche des fées.

Après la catastrophe, la météo prévoyait une « brume brune ». Lui, poète, désirant réparer le réel par les mots, parlait de « brune brume ».

Il y avait une certaine peur à les voir instituer leur turpitude en totem. Et cette question : « Comment terrasser les nuages sans crier ? »

Le dire-rire

Il n'était pas minable en tout. Mais son CV révélait de graves lacunes en gestion de rythmes et d'images. En fait, il n'était que prosateur.

Déçu, amer et cocu, il la quitta sans faire d'histoires. Il voulait tourner la page. Mais à tout prendre, on lui suggéra de changer d'écran.

Il existe une forme rare de la maladie de Parkinson caractérisée par l'agitation démente de l'index droit sur le bouton gauche de la souris.

Elle sévit surtout chez les adolescents et les jeunes adultes qui constituent, avec les twitteurs, une des principales populations à risque.

Bien qu'aucun vaccin sûr ne soit encore disponible, la maladie n'est pas transmissible sexuellement, mais la recherche progresse rapidement.

Sa femme venait de lui confier un secret particulièrement croustillant. « Ah non ! Ne me dis pas que tu vas tweeter ça sur tous les toits. »

Un obèse suait sur son prochain livre : « La géométrie des gros ». Rien ne serait commode à commencer par le repérage de son propre nombril.

Il n'y a pas si longtemps, on entendait « Buy, buy Dubaï… » Depuis hier, c'est plutôt « Bye bye Dubaï ». Comme quoi « sky has a limit… »

La vérité nue désillusionne parfois. « Jusqu'où s'étend votre culture ? » « Jusqu'au bout de mon croûton, là où s'arrêtent mes confitures. »

Le menu et la carte des vins ne disaient pas tout. Elle le devina quand il se pencha et lui dit : « Puis-je siroter votre cou très chère ? »

Tendance marketing : banque de sperme pour les fans de la restauration rapide, banque de couilles pour les adeptes du développement durable.

Se faire greffer des couilles, oh, bonne idée ! Mais quand on lui demanda où, il devina qu'il n'y verrait plus rien. Alors il laissa tomber.

Twitter permet de raconter de brèves blagues comme :
– Chérie, c'est quand ton moment préféré dans l'amour ? – C'est quand je 140, dit-elle.

La froidure de pierre dure ramène à la surface les souvenirs chauds de l'été. Dans un petit canot de toile, un homme mouche la « truwitte ».

On gueule, on gueule contre le hijab et la burqa, on gueule contre le niqab et le tchador, mais, dites-moi, que fait-on des femmes à barbe ?

Celui qui empeste l'ail conteste déjà l'humeur de son ventre. Il sacrifie un peu d'air pur pour plus de gaz et associe son charme au dégoût.

Il voulut lui donner un violent coup de poing sur Laguiole. Et il se tailla les doigts profondément. Écrire au son est dangereux pensa-t-il.

Le poète ne rigole pas. Un poète ça ne rigole jamais ! C'est sérieux un poète ! Et c'est cette image austère de lui-même qui le réjouissait.

Il démontrait l'excellence de sa démarche par un tas de comportements médiocres. Cela le faisait parfois passer pour un imbécile. Et alors ?

Dormir, rêver, manger, nager, bronzer, jaser, picoler, baiser, lire, touiter. Je suis épuisé. Le rythme fou des vacances finira par me tuer.

Hier, j'ai essayé de couper un cheveu en 4. Et j'ai réussi ! Demain, je vais en couper un en 8. Après demain, en 16, puis en 32, en 64, etc.

« Plus fort. Oui, c'est ça, avec les ongles. Appuie davantage. Creuse un peu plus. Ouiii ! » La belle aux gros biceps aimait bien son fakir.

Je suis devenu idiot à temps complet. Fini les petits délires faciles. Je fais désormais de la folie un métier stable et très bien rémunéré.

Il arrive parfois que le bonheur soit incendié. Cette scorie dans ton œil ne fait-elle pas état d'une embuscade et de toutes ses vacheries ?

Fan fini des synesthésies, tu posais une prothèse auditive dans tes narines, un gant entre tes dents et même des lunettes dans tes oreilles.

On dit que c'est l'ajustement millimétrique de ton mascara qui fait ton charme. C'est plutôt ton regard de bègue qui, clignant vite, séduit.

Tu avais fini par n'aligner que des phrases sans importance comme ces morceaux choisis parmi les bulletins météo des vingt dernières années.

Une boutique de bourrasques à bas prix vient d'ouvrir. Idéal pour tous ceux qui mangent de l'air. Prescrit aux asthmatiques et aux sportifs.

Il souhaitait des nuances. La critique suggéra de l'épaisseur. Il se mit au régime. Et, depuis ce temps, sa carrière n'est que débordements.

Tweet rebelle

On se laisse glisser au fond des choses. On se confond aux objets. On coule. Mais on voudrait encore grandir pour goûter au festin des fées.

Ma vie est un chaos crotté qui frise le fouillis. Un jour, je ferai l'éloge de la girouette dans un mini mémoire de 140 caractères ou moins.

Des biologistes influents insistent pour dire que la vie serait encore possible sans Twitter. Mais que savons-nous de Twitter après la vie ?

Crois-tu vraiment que je puisse encore comme un bel imbécile décider du moment où je nouerai la lisière du jour aux vertiges des kamikazes ?

J'invente la sphère et je laisse à l'homme la roue, dit Dieu. Mais voulant plus de beauté, il inventa l'ellipse et la poire et créa le sein.

Sur Twitter je suis des personnes célèbres qui se suivent entre elles, mais qui ne me suivent pas. Question : suis-je vraiment qui je suis ?

Pierre-Paul et ses complices

Aujourd'hui c'est un désespoir construit qui permet aux sociétés de survivre. Sans quoi la joie ramènerait la barbarie et la bave solitaire.

C'est la voix polyphonique de tous ceux et celles qui parlent à voix basse qui permet d'éviter l'enlisement dans un grand veuvage collectif.

Nous disposons de peu de moyens et nous arrivons à peine à suffire à la publication de données fiables concernant le gazouillis des oiseaux.

L'état du monde ne nous plaît pas ? Soit, mais nous restons et nous tracerons sur l'enclume des tweets marteaux pour mater tous les fuyards.

L'état du monde ne vous plaît pas ? Fort bien. Alors fuyez ! Décrissez en catimini s'il le faut et rédigez votre propre manuel du froussard.

Plaisir techno : la bande passante stagnait, la frénésie de ses gestes aussi. Ce ralenti l'excitait comme si l'épuisement devenait palpable.

Plaisir coquin : son sourire mâchouillait des dentelles. Et ça nous arrangeait bien de voir que la guipure cédait sous ses dents dévoreuses.

Plaisir pugnace : elle lui refusait tout, même son regard. Qu'à cela ne tienne il réanimerait sa pâle figurine qu'il baiserait jusqu'à l'os.

Plaisir mondain : il prit sa main, la dévissa, la porta à ses lèvres et la baisa poliment. Il la replaça sur le moignon bien-aimé et partit.

Plaisir vieillot : je m'avance à petits pas de loup et dans ton doux cou, je glisse quelques mots fous. Tu rougis belle complice. Moi aussi.

Tu voulus rebondir. Mais le cantique des cendres sonna plus fort. Et tu t'es dissous dans la fable du temps triste qui t'emporte en silence.

Ton pessimisme est d'une telle grandeur. Comme si le monde à tes côtés baissait les yeux et lissait ses cils pour mieux pomponner l'horreur.

Celle qui rouspète a le pet roux. À quoi bon s'en indigner ? Il y a tant de désordres chromatiques de nos jours. À preuve ? Le blanc-manger.

Tu fus toi aussi attaquée par le tsunami des décotes. De AAA, tu fus « dévaluée » à DDD. Mais à part toi, qui regrettera ton ancien profil ?

Un tout petit « P » s'éclipse du paralume et c'est l'accident. Mais replacez-le et le « paraplume » s'envolera avec la légèreté de l'oiseau.

S'il n'y avait pas eu cette faute au début dans paralume (sic), on n'en serait pas là. Un « paraplume » aurait bien sûr soulevé les poutres.

Un « P » tombe d'un un mòt et c'est le drame. Le « paraplume », lui, aurait plutôt permis l'envol des poutres, légères comme un oiseau bleu.

Chaque hiver, je sors mes vieilles crèches de mots. Pour vous consœurs, confrères, collègues, camarades twittérateurs et amis. Joyeux Noël !

CRÈCHE 0 – « D'où viens-tu ? Je viens de l'étable de m'y promener, j'ai vu un miracle ce soir arrivé. Qu'as-tu vu, bergère ? Qu'as-tu vu ? »

CRÈCHE I – Étable rudimentaire, animaux réglementaires (bœuf, etc.), femme exténuée, eaux crevées, bébé pleurant, homme brun, barbu et cocu.

CRÈCHE II – Femme frêle. Ligotée. Affolée. Abusée. Cris. L'ombre d'un bras s'abat. Le glaive d'Hérode taille la peau doucement : césarienne.

CRÈCHE III – Vacarme, éclats d'une bombe à fragmentation dans les murs, débris, cadavres, fumée ; une femme râle, un fœtus entre les jambes.

CRÈCHE IV – Santons trash, une fille maigre et grosse, junkie, les bras bleus, héro en intraveineuse, s'accouche seule en feulant et jurant.

CRÈCHE V – Chambre immaculée et murs bleus, une femme célibataire sous épidurale accouche en souriant. Autre miracle de la banque de sperme.

CRÈCHE VI – Le matin du 26, des bergers balaient la paille imbibée du placenta sacré et conservent le divin cordon ombilical pour le boudin.

CRÈCHE VII – À 140 à l'heure, l'auto heurte un troupeau de bestiaux ; la parturiente accouche, inconsciente, avant l'arrivée de l'ambulance.

CRÈCHE VIII – Studio. Des micros. Que du son. Beuglements. Bêlements. Essoufflement. « Pousse. » Cris. Pleurs. « Je t'aime. » « Moi aussi. »

CRÈCHE IX – Bien à l'abri, une femme à quatre pattes met bas comme une bête. Cette mystérieuse parthénogenèse serait exceptionnelle, dit-on.

CRÈCHE X – Personnages de la saynète : 1) Marie (trop jeune vierge violée). 2) Joseph (gros mâle barbu). 3) Jésus (si jeune enfant tout nu).

Peut-être est-il futile désormais de nommer les choses. Peut-être qu'un grognement, peut-être qu'un grondement suffit pour dépecer le monde.

Mais si, je craque. Je craque de ne pouvoir me rafistoler : comme les meubles aux pattes poreuses, comme les arceaux sous tension immédiate,

comme des cendres aux volutes décalées, comme des calvaires décrépis pendant la tempête, comme des patios frigorifiés sous la canopée brève,

les glands rutilants, la gourmandise négligeable, l'aparté glanduleux, les friandises du numismate, la cicatrice luxuriante et tutti quanti.

Mêlant le rêve aux poussières. Sous des latitudes factices. Rivetée aux vertèbres des fauves. À bout de souffle. Tu te rues dans la rue nue.

Si votre profit tient dans votre main, vous voyagez seul et léger. Si votre profit profite dans vos coffres, votre cour vous suit sirupeuse.

Je sais la routine des sangles et du scalpel. Rien ne peut en ruiner la douleur. Ni le friselis des étoiles, ni ton doigt égaré sur ma peau.

Il m'arrive parfois de chanter. Sans énervement. Avec ma belle voix caverneuse. En respectant la mesure et en psalmodiant des monstruosités.

À ceux qui sont de la rentrée, vous collègues, consœurs, camarades et… amis : repoussez-les tous vers la lumière afin qu'ils s'en sortent.

Tout près du littoral, ce sont les nuances de gris qui révèlent les grandes accalmies. Et le recul du vent sur les vagues n'y est pour rien.

Dans certaines circonstances, le bâillement est obligé. Il dénote un spasme de vigilance et valide l'éveil du guetteur. Dormons tranquilles.

Le silence déchiquette le bruit, prétends-tu. Et non l'inverse. C'est bien ce que je pensais : tu ne t'engraisses que des paradoxes du vide.

Toujours la peau à fleur de mots. L'hécatombe des délices. Le sortilège de l'oiseau bleu et les cris de catastrophe dans la gueule des fous.

Quand l'œil se barbouille de ses reflets, quand la langue se mord et que l'ongle taillade le doigt, même la musique se terre dans le tapage.

Pour célébrer ma faim, je mâchouillais la queue des comètes. Et la nuit venue, je torsadais tous les murmures dans des épissures de silence.

Ne renonce jamais à dire à ceux qui te coincent entre l'arbre et la peau que tu te fous tout à fait des effets du rabot qui dégrosse tes os.

Vu que j'ai obtenu les certifications pour magouiller dans l'obscur, je ne m'en priverai pas : je foutrai le bordel en allumant des bougies.

Au cœur d'une touffe d'iris, l'empreinte d'un bouquet. Figure à décoder par le nez comme toutes les confuses molécules d'un sexe entrouvert.

Adepte du métissage, il se mit à l'essayer sur lui-même. Peu à peu ses mimiques devinrent des modèles de synthèse faciale d'une pure beauté.

Il y eut un surplus d'aveux. J'eus droit à tout : les ratés, les complots, les blessures et, dans tout ça, nulle trace de bonheur. Curieux !

Froisser l'aube. Filtrer l'insanité. Malmener les mathématiques aux nombres nuls et improbables. Mais surtout creuser le tombeau de l'ennui.

Dur de changer de paradigme. Hier on me dit : « Pierre-Paul, trouve un éditeur. » Je l'ai déjà mon éditeur, que je dis : c'est Twitter & Co.

Il hybridait les prénoms. À Jean-Yves, il préférait gencive. À Geneviève, jeune vierge. À Vincent, vain sang et à Pierre-Paul, pierre folle.

Un ami me dit : « Épique époque mon Pierre-Paul, tu te sers des médias sociaux pour t'isoler davantage dans tes pensées et tes réflexions. »

La twittérature n'échappe pas à la mondialisation des fuseaux. Pendant que je m'apprête à dormir, d'autres se lèvent pour bricoler le jour.

Le samedi soir, on ne sortait plus dans les bars. On restait à la maison. On ouvrait un dictionnaire et là, les Pleau tweetaient en famille.

RÈGLES DU JEU 1) Un ordi, une connexion Internet. 2) Nombre de joueurs : illimité. 3) But : écrire un tweet osé, ému, ludique et batailleur.

Celui qui manie le clavier est le maître du jeu. On change ensuite à tour de rôle à la fin de chaque gazouillis ; du plus âgé au plus jeune.

Le maître de jeu suggère le thème, il tape quelques mots et c'est parti. Chacun y va de ses suggestions : on ajoute, on enlève, on remplace.

L'énoncé doit obligatoirement comporter quelques allitérations et au moins une métaphore. Mais il ne comptera jamais plus de 140 caractères.

D'autres familles se sont jointes à nous : les Gagnon, les Côté, les Hamel, les Fréchette. Et elles sont bien là pour nos parties de tweets.

Certains privilégient la vitesse, d'autres une lenteur stratégique. D'autres enfin prônent la finesse, le cynisme ou une grossièreté idiote.

À ce jeu, les Pleau gagnent souvent tant il est vrai que leurs tactiques épousent les stratégies gagnantes de cette nouvelle nanorhétorique.

– Mes amis, saviez-vous que je gazouille ? – Quoi ?
– Oui, je gazouille ! Hey ! fais pas ton smat, OK ?
– OK ! Je gazouille pas : je tweete.

Au réveil, je tweete. À la pause, je tweete. À midi, je tweete. En auto, au feu, je tweete. Au souper, je tweete. Écoutant #TLMEP, je twive.

Je tweete au lit, je tweete la nuit. Ici et là je tweete. Je tweete à tort et à travers. Je tweete comme je respire. Je tweete toute ma vie.

J'avale un scotch, je tweete. Je bois de la bière, je tweete. La soirée a été tout à fait torride, je tweete. J'écoute Lady Gaga, je tweete.

Quand je baise, je tweete que je baise. Après je tweete avec qui et tutti quanti. Quand je rêve, je rêve toujours que je tweete que je rêve.

Un fan tweete que je suis bon, je retweete. Un ami me dit que je suis beau, j'arobase, je retweete et je hashtague dans bienbeauxbonhommes.

Je touite ce que je lis. Je touite ce que j'écoute. Je touite ce que je bois. Je touite où je suis. Je touite qui je baise et qui me touite.

J'touite partout : dans les bars, su l'bol, au bureau j'touite. J'voudrais touiter dans l'métro. C'est poche, y a pas d'signal dans l'métro.

J'touite toultemps. Hier j'ai touité, j'touite aujourd'hui pi si la tendance se maintient – salut mon Bernie – j'vais encore touiter demain.

J'touite comme ça m'plaît : debout, couché, assis. Pi
j'touite les doigts dans l'nez. J'touite l'nez en l'air.
J'touite sans en avoir l'air.

J'touite, pi j'sais même pu c'qui s'dit su l'fil. J'suis
ben trop d'monde. J'touite su toute, pi j'touite trop
vite. J'file à 140 à l'heure.

J'touite pour touiter ! J'touite, pi j'sé même pu
pourquoi j'touite. J'vas voir un show pi j'touite. J'touite
toultemps ! J'touite tout nu !

J'touite ? Ben oui, j'touite ! Pi après ? J'touite pi j'chus
tu seul. J'touite parce que j'ai pu assez d'amis ! J'chus
tu seul, pi j'touite.

J'ai pu assez d'amis c'tu clair ? J'touite parce que j'en
arrache, stie ! J'touite ma vie, stie ! J'touite toute ma
câlis de vie, tabarnak !

À la fin, tu as trouvé Twitter. Depuis, la vie te sourit.
Des amis sont là. Tu manipules du texte du bout des
doigts et tu crois au bonheur.

ACHEVÉ D'IMPRIMER
EN OCTOBRE 2011
SUR LES PRESSES DE MARQUIS IMPRIMEUR INC.
SUR PAPIER SILVA ENVIRO
100 % POSTCONSOMMATION